持続可能な社会の創り手を育てる教育

「自尊感情」をテーマとした中学校の ESD 実践記録

大塚 明

～ 目 次 ～

はじめに

　天城中学校で ESD の実践が始まって 11 年が経過しようとしている。私が定年退職した後、4 人の校長が入れ替わった。幸いなことに、代々の校長も ESD の実践を引き継いでくれて、未だに ESD の実践が継続している。校長が替わると ESD の実践も途絶えてしまう学校がある中、なぜ継続できているのかを分析して全国フォーラムで話をしたこともある。私が退職した後の天城中の卒業生たちも、高校や大学を卒業した後、地元に残って伊豆市のために働きたいという生徒が増えていると聞いている。

　退職後、ESD（＝持続可能な社会の創り手を育てる教育）を始めた以上、天城中学校の ESD を通して学んだ卒業生たちがどれだけ「持続可能な社会の担い手」に育っているのかを見届けたいと思った。そのため退職後、何人かの卒業生とも時々連絡を取り合っている。社会に出ると様々な同調圧力により、自分が懐く思いや理想を実現できずにくじけそうになる若者もいることが予想された。そこで、同じ ESD を通して学んだ全国の若者を横に**つなぐ**ことでエンパワーしたいと思い、日本 ESD ユース・コンファレンスにメンターとしても参加している。

　このような活動を続けている中、2025 年に天城中学校が閉校となり、近隣の 3 中学校が合併する事が決まった。この機会に、今まで多くの場所で天城中学校の ESD 実践の講演をしたり、様々な

研修会に参加したりしながら考え、まとめたものを整理して本にしたいと思うようになった。

　始めた当初、ESD は掴みどころがなく、よく分からないものだった。しかし、分からないながらも、実践しながら見えてきたものがある。それは、ESD にはこれからの教育の在り方や日本の未来に関わる核心的な要素を含んでいるということだ。

　一つには、ESD はこれからの学校教育の在り方を大きく転換する方向性を示唆していた。「正解の見えない時代」に必要な学びは、今までの教育の在り方では到底解決できない。また、一つには、日本の地方都市が抱えている課題（地方の衰退、少子高齢化、向都離村等）は ESD を中心に据えた学びを通して地域に「誇りや愛着」を取り戻すことで地方創生の担い手を育成することが解決策につながるのではないかと考えたからだ。

　今では「ESD には正解はない」と思っている。逆に言うと、いろいろな答えがあってよいと思う。一つの成功事例をなぞって他の学校で実践しても必ずしもうまくいくとは限らない。しかし、私たちの実践事例を示すことで ESD の意味や価値をまとめ、ESD を実践している、或いはこれから実践しようとしている全国の仲間に ESD に通底するものを問うことは意味のあることだと思う。そのような意味で、この本が学校の教育現場で少しでも役立てば本望である。

この本を一貫して流れるキーワードは「**つながり**」である。実践当初（もっと言うと私が生まれて）から今までのたくさんの方との「**つながり**」のお陰でこの本は成り立っている。

　最後に、そのような「**つながり**」に感謝しつつ、ESD を共に研究・実践した、また今もなお実践し続けている天城中学校の教職員と、学校に多大な協力を頂いた PTA や地域の方々、森林管理者の方々、校内研修の講師派遣協力していただいた ESD-J の関係者の方々に心より感謝いたします。

　特に、この実践を始めるに当たって ESD の指導をしていただいた宮城教育大学の見上先生、小金澤先生並びに ESD の実践を理論的なエビデンスで支えてくださった鳴門教育大学の伴先生と当時の大学院生の横嶋さんに心より感謝いたします。

※　横嶋さんには、ESD 学会で天城中学校の実践を発表したときとこの本をまとめるに当たっての二度にわたって、本人の論文を再検討しながら様々な助言を頂きました。お陰で、何とかこのような形でエビデンスを示した実践としてまとめることができました。この場を借りてお礼申し上げます。

「持続可能な社会」の創り手を育てる教育
～「自尊感情」をテーマとした中学校の ESD 実践記録 ～

プロローグ

　大学卒業後、東京の目黒にあった企業に勤めた後、一念発起し教員採用試験を受け直した。そして、伊豆半島のほぼ中央にある1000人近い生徒がいる伝統校で初めての教員生活をスタートした。東京で育ち、国立大学附属の小中学校で義務教育を受けた私にとって、家庭訪問を通じて感じた家庭環境の違いは大きな衝撃だった。しかし、そのような環境とは無関係に、子どもたちは純朴で素直だった。この学校で9年間過ごし、教員としての基礎が培われた。その後、1000人を超えるマンモス校に転任。初任の学校と異なり、比較的都市部にある学校で部活動も盛んに行われ生徒は活力に満ちていた。朝礼の度に、土日や休日に行われた各部大会の表彰が行われるため、朝礼の多くの時間が表彰に費やされた。様々な家庭環境の生徒が生活しているため、いろいろな問題行動も見られたが、生徒はそのような環境の中でたくましく成長していた。そのため、学校が荒れているという感覚はなかった。その頃は、まだ特別支援教育や発達障害に対する知識も深まっておらず、今思うと様々な発達障害的な現れを持つ生徒も、多くの生徒に混じってそれなりに生活できていたと思う。

次に異動した中学校は最近生徒指導が大変だと評判の高い学校
で、ある朝出勤すると昇降口や学校の至る所の窓ガラスが割れて
いるという事件があった。そのような問題行動を起こす生徒を見
ていると、もっと自分たちの存在に気づいて欲しいと訴えている
ように思えた。授業中に廊下を歩き回っている生徒も、ある先生
の授業だけはおとなしく受けていた。生徒なりの鋭い感覚で、本
当に自分たちの事を思ってくれる先生を見分けていたのだろう。
授業妨害は授業を真面目に受けようとしている生徒のために決し
て許すことはできないが、妨害するような生徒の思いも受け止め
てやらなければならないと思った。一方的に知識を伝達するだけ
の授業では、このような生徒の思いは決して受け止められない。
どのような考えも受け止め、生徒の思いを大切にした授業に努め
ようと思った。そして、このような荒れた学校でもどの生徒もつ
いてくるような授業が出来る先生になりたいと思った。
　次に転任した学校では、携帯電話が生徒の間に浸透していった
時期で、携帯を通して生活の乱れが加速し生徒指導をより困難に
した。一度携帯を手にした生徒は（全員とは言わないが）ポケッ
トベルが浸透したときよりも遙かに大人の予想を超えた使い方を
しはじめた。携帯電話は家の固定電話や公衆電話と異なり、時間
と場所に影響されずに仲間に連絡が取れる。学校生活について行
けないような生徒たちは、親の寝ている時間にメールで連絡を取

り合い、深夜に家を抜け出し仲間と共に徘徊することが容易になった。学校は携帯の持ち込みが禁止となったが、持ってきていることを確認する術はなかった。家が遠くて不便な所に住む生徒は、家へ連絡のために、担任の許可を取って学校に持ってきたが、学校にいる間は担任に預けることになっていた。しかし、中には授業中に携帯が鳴って見つかり没収される生徒もいた。生徒の中には、携帯だけが友達や外部の世界と繋がる唯一の道具で、その携帯にすがって生きているような子どももいた。やがて、一般の生徒も当たり前のように携帯を持つようになると、メールやラインを使った仲間はずれやいじめが始まった。出会い系サイトで被害に遭う子どもも出始めた。大人にとってとても便利で役に立つ道具も、危険性やマナーを指導しないと、とんでもない事件や事故につながる。その頃、携帯電話会社は契約数の増加（利益の増加）だけをめざし、携帯電話０円を宣伝したり家族で入ると安くなることを宣伝したりしてあっという間に全家庭に広がった。一方、学校では携帯電話のマナーまで教えなければならなくなり、先生は生徒指導の一貫として携帯電話の使い方の指導まで行うことになった。時を同じくして、教育課程の中に「総合的な学習の時間」が取り入れられた。教務主任としてその導入に関わったが、その理念はこれから先の時代を見通し、新しい教育の方向性を示す素晴らしいものだと感じた。各教科で学んだ「知識」

を横につなぎ、学んだ「知識」を「活用」する時間として位置づけられた「総合の時間」は、教科を超えた学びの時間として「生きる力」を身につけるための素晴らしい時間に感じ、その実施に向け職員全員で研修に取り組んだ。しかし、中学校では運用は各学年主任に任され、主任によって取り組みがばらばらになり3年間の一貫性に欠けたものになっていった。やがて、その時間は文科省からおりてくる「福祉教育」や「キャリア教育」といった「〇〇教育」の受け皿となったが、現場はその「〇〇教育」の必要性や根底にある理念の理解にまで至らず、内容を表面的にこなす指導になっていったように思う。ひどいときには「総合的な学習の時間」が様々な行事の準備や補習の時間に使われるようになった。

キヤロットクラブ誕生

　教頭になって赴任した学校は新採で勤めた学校と同じ中学校だった。異動するとき、その学校は生徒指導が大変という評判が立つような学校になっていた。自分が育った母校のように感じていた学校が生徒指導の大変な学校と言われていることが信じられなかった。生徒が駅前でたばこを吸っていると学校に電話がかかってきて、そのたびに授業が空きの先生が駅まで駆けつけ指導するということの繰り返しで先生方も疲れ切っていた。しかし、その

ような学校もあることをきっかけにあっという間に立ち直った。

　それは、当時のPTAが立ち上がり、夏休み明けの2学期の始業式当日の朝、校門に立ち挨拶運動を始めたのがきっかけだった。特に、この状態を何とかしなければとその挨拶運動に父親が率先して立ち、いい加減な服装で登校する生徒に声をかけて身なりを整えるように促したことが大きかった。しかし、朝の挨拶運動に出た親はそのまま仕事に行ってしまうので、その後から登校して教室に入らずに廊下をうろうろしている生徒の対応に先生方は苦労していた。授業のない空き時間の先生は職員室を離れ教室前の廊下に机を出し、そこで生徒の生活ノートを読んだり仕事をしたりしながらそのような生徒の対応をしている状態だった。

　そこで、立ち上がったのが地域の民生委員を主体としたボランティアグループだった。当時の校長は、その方々を「学校支援ボランティア」と名付け、控え室として空き教室を提供した。その中学校を母校としている「学校支援ボランティア」の方々は、母校を何とかしたいという思いで、授業にも出ずに廊下を徘徊している孫のような年代の生徒に根気よく声をかけていた。休み時間には、空き教室に囲碁・将棋やオセロ等を用意してこの教室に遊びに来る生徒の相手をすることで親しくなっていった。教室に入れない生徒の学習室にも足を運び、積極的に声をかけコミュニケーションを図っていた。PTA会長を中心に20〜30名の人数を擁

する学校支援ボランティアのメンバーは、毎日 3,4 人のグループを組み、昼前から放課後まで空き教室に待機し、学校内を見回ったり、給食の時間にはクラスの中に入って一緒に食事をしたりしてコミュニケーションをとっていた。そのようにして人間関係ができてくると互いに顔も名前も分かるようになり、思わぬ効果が現れてきた。あるとき、電車の中ではしゃいでいた生徒たちが、乗客の中に「学校支援ボランティア」の方がいるのに気づくと、互いに挨拶を交わした後、自分たちが乗客の迷惑になっていることに気づき、その後は何の注意をしなくても静かになったという。このように支援ボランティアの方々のお陰で、学校生活を通して地域の大人と顔見知りになると言うことがどんなに大切かということが分かった。学校が荒れ、駅前でたばこを吸っている生徒がいても見つけた大人が注意せずに学校に電話してくるようになった原因がそこにある。かつての日本は近所づきあいが当たり前で、互いに助け合って生活していた。互いに顔も名前も知っていてよその子も我が子のように叱る人間関係が出来ていた。そのような文化がいつの間にかなくなり、若者は携帯電話を通して限られた仲間だけとかろうじて危うい**つながり**を保ち、地域の大人との**つながり**が薄れ、子どもと大人の「人間関係が希薄な社会」の波が地方の素朴な町にも押し寄せてきていた。

教頭として赴任した私は、そのボランティアグループの学校側の窓口としてグループの定例会に参加し、様々な要望や疑問に答えたり学校側の意向を伝えたりしていた。そんなある日、「学校支援ボランティア」の会合に呼ばれ「学校は以前のように立ち直り、生徒も落ち着いたのでそろそろ私たちは手を引こうと思う。」と言われた。その時のボランティアの方々の思いは真剣で「学校は聖域である。いつまでも私たちのような部外者が学校の中をうろうろしていては学校に迷惑だろう。」というのである。「学校が良くなったからには、私たちの当初の目的は果たせたのでこの辺で手を引きたい。」と言ったのだ。

　その当時、教頭会の研修テーマは「学校を地域に開くにはどうしたらいいか」という内容だった。その背景には、様々な課題が学校現場に持ち込まれ、学校内だけではとても対応しきれない状況にあった。学校は聖域ではなく、学校を開き地域社会と共に子どもの教育を考える時代に入っていた。そんなことや「学校支援ボランティア」の活動を通して学んだ「人と人の**つながり**」の大切さ。「顔見知り」が子どもたちに与える影響の大きさのことを思い、そのボランティアの会合の中で次のように回答した。「皆さんのお陰で本当に学校は良くなりました。以前のように地域から苦情が来ることもなくなり、生徒も落ち着きを取り戻しました。今まで本当にありがとうございました。しかし、ここで皆さ

んのような方が学校からいなくなると、いつまた同じように荒れるときが来るか分かりません。どうか、ここでやめてしまうのではなく、有志のボランティアとして無理のない範囲で結構ですから生徒と地域の大人を**つなぐ**組織として活動を継続してください。」と。

　その後「学校支援ボランティア」の中で話し合いがもたれ、活動の継続を反対する人もいる中で「学校側がそのように言うのであれば活動を継続しよう。」ということになった。その時、再出発をするにあたってこのボランティアグループの名称を決めることになり、「私たちは**人と人**を**つなぐ**役割をするので「**人と人**」で「**にんじん**」だからキャロット、「**キャロットクラブ**」にしよう。」ということになったという。私はそのネーミングの理由を聞いて感動した。そのようないきさつで学校を建て直すために始まった「学校支援ボランティア」がその役割を終え、今度は子どもと大人を**つなぐ**「**キャロットクラブ**」として再出発した。

　その後、キャロットクラブは１０年以上活動を続け、その中で生涯学習作品展（書道、手芸、写真、絵画、工芸等）と称して地域の大人が作った作品を定期的に展示したり、野外活動の支援をしたり、立志式では餅つきを行ったりして学校の生徒の活動を支援した。あるとき、書道の作品をキャロットルームに見に来た高校受験間近の３年生が「この作品を見ていると心が落ち着く」と言

い、たまたまその言葉を聞いた出品者本人が「作品を展示して良かった」と心から喜んだというエピソードがある。見に来た生徒に心の安らぎと勇気を与え、作品を出品したキャロットクラブのメンバーにも作品を展示した甲斐があったという思いを抱かせるという心の**つながり**が示されたよい例だった。その他にも、台風の影響で学校の桜の木の枝が折れ危険な状態になった時は、植木に詳しいメンバーが直ぐに枝を片付け、桜の枝の修復をして安全を図ってくれた。また、その台風で床上浸水した温泉旅館の支援に生徒会が協力しキャロットクラブのメンバーと共に床下の泥の撤去作業し、生徒と地域を**つなげる**大切な役割を果たした。

　この活動は 2005 年に行われた「民生・児童委員の全国大会」で報告され、私もパネラーとして参加し全国的にも認められるようになった。そのキャロットクラブは活動 15 周年を迎え市より表彰された。これだけ長い間活動が継続している秘密は、キャロットクラブのメンバーと学校側のたゆまぬ努力があったからであり、その目的が「人と人を**つなぐ**」という現代社会に欠けている機能を補う役割を果たしているからだと思う。

第1章 なぜESDなのか？

　平成１９年（2007年）４月に天城中学校に校長として赴任した。当時から全校生徒138人、全校で６クラス（３年生２クラス・２年生２クラス・１年生２クラス）の小規模校だった。校訓は作家の井上靖氏から贈られた文「故里美し」の文中にある「克己」で、校長室には直筆のその原稿が掲げられていた。学校は小高い山の中腹にあるため、生徒はかなりきつい坂道を登って登校する。この坂道は、生徒の間で通称「克己坂」と呼ばれ、この坂道での「克己坂挨拶」が伝統となっていた。この挨拶は、ここに学校が出来た当時からの伝統と言われ、先輩から後輩へと受け継がれてきている。私が何かの出張で初めて天城中学校を訪問したとき、この坂を車で登って行くと坂道を歩くすべての生徒が立ち止まって車に正対し一礼する姿を見て、驚くと同時に思わずハンドルをにぎったままお辞儀して挨拶を返したものだった。

　校長として赴任した後は、来客があると必ず「生徒さんの挨拶は素晴らしいですね」と褒められるので、そのたびに「ありがとうございます。あの挨拶は学校が強制してやらせているのではありません。学校の伝統として生徒の間で受け継がれているものです。」と説明した。もちろんそのような伝統を引き継いで来た生徒たちを心から誇りに思っていた。

当時の生徒の印象は「克己坂挨拶」に代表されるように、素朴で明るく素直な生徒が多かった。生活態度も落ち着いており、行事がある度に生徒の一所懸命さに感動させられた。もちろん生徒たちも感動で涙を流しながら上級生と下級生の絆を深めていた。反面、生徒同士の言葉遣いが荒く、不用意な発言で相手を傷つけることもあった。しかし、一番気にかかったことは授業態度が受け身で、どことなく自分に自信が持てずにいる生徒が多いと感じることだった。また、ネットや携帯の影響を受け、家庭学習の時間が不足している生徒も多く見られた。

　もう一つ気にかかったことは不登校や教室に入れない生徒が、人数の割に多いことであった。今までの経験から、不登校や荒れる生徒の背景には必ずと言ってよいほど生育歴や家庭環境に要因があった。そこで、家庭環境を調べてみると、片親の家庭の数が全校平均で15.4％という数字が出た。もっと都会的な地域では片親の家庭が増え、発達障害や不登校等の課題を抱える生徒も増えて来ていることは認識していた。しかし、天城のような自然に恵まれた地域で片親家庭が15.4％という数字には正直驚いた。調べてみると離婚して母親の実家に住んでいるような家庭が多く、中には祖父母に預けられていて親のいない家庭もみられた。それぞれに複雑な事情があるのだと思うが、子どもはそのような大人の事情の犠牲者であることは間違いない。そのような家庭でも立派

に成長している生徒もたくさん見てきたので、片親だからどうだというような偏見は持ちたくなかった。しかし、都市部の学校でみたように思春期になり様々な思いから不登校や家庭内暴力、非行へと走ってしまう子どもを見るにつけて、いつも犠牲になっているのは子どもだという思いを強めていた。更に本校生徒の教育課題を探っていくと、解決すべき大きな課題が見つかった。それは、文部科学省が毎年行っている全国学力・学習状況調査の結果を見ていたときだった。テスト結果から表される学力と、質問紙による生活習慣等の結果を一つの円形のグラフにまとめたものにそれははっきりと現れていた。

　天城中学校では生徒数が減少し、同年齢だけの集団では人間関係が限られてしまうため、学年の枠を外した３学年合同の縦割りグループを作り、学校行事はもちろんのこと生徒会行事や生徒集会、清掃活動までその縦割りグループを使って活動していた。１年間そのグループであらゆる活動を行い、先輩のリーダーシップと後輩のフォロアーシップにより人間関係作りを行っていた。その結果、様々な感動場面が創り出されていた。特に学校祭体育の部では縦割りの色別で競い合い、終了後は優勝した色も優勝できなかった色も、色別の反省会を行い、先輩・後輩の分け隔て無く互いの健闘をたたえ合った。後輩は感動して涙を流しながら先輩にお礼を言い、先輩からも後輩に感謝の言葉を言う姿を見ると、

結果はともあれ「共に協力して頑張った」という達成感と自己有用感が満ちあふれていた。そして、縦割りの行事を通して先輩・後輩の固い絆が育まれていることが伝わってきた。しかし、一方で次に挙げる課題だけは、このような学校内の限られた人間関係の中では決して解決できないこともわかってきた。

1-1 ESDを始めたきっかけ その1

　私が、ESD[*1]に取り組もうとしたきっかけの一つは、全国学力・学習状況調査の中で「自尊感情」の項目が極端に低いことにあった。これは、生徒質問紙の結果を8項目に分けて分析し、全国基準との比較が円形のグラフ上に表示されたもので、国語A問題、B問題と数学A問題、B問題の成績も合わせてグラフ上に表示されていた。国語・数学についてはA・B問題ともに県や全国基準を大きく上回っており数字の上では何も問題はなかった。国語や総合学習に対する関心と学習習慣については課題を感じたが、特に「自尊感情」の項目は全国基準を23〜24%も下回っていた。（図1-1）

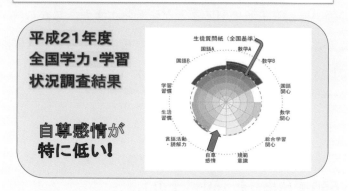

図 1-1

　内閣府の調査*2（平成 26 年 6 月）で日本の若者の 45.8％が自分自身に満足していないという結果が出ており、調査した 7 カ国中で最低の結果となっている。この諸外国と比べ「自尊感情」が低いとされている日本の全国基準よりもさらに 20％以上下回っているということは本校生徒の最大の課題であると感じた。そして、この課題を解決することこそ学習や生活面で感じていた本校生徒の課題を解決することになると直感した。

　「自尊感情（self-esteem）」にはいろいろな定義が存在する。ローレンスは「自己像と理想自己との間の不一致についての個人評価」（ローレンス 2006）*3 と定義している。全国学力・学習状況調査での「自尊感情」評価は、おそらく質問紙の中の 2 つか 3

つの項目の回答を分析して導き出していると思われたが、私はこ
こでいう「自尊感情」には「自己肯定感」や「自己有用感」、
「自己効力感」「アイデンティティ」といったものすべてを含む
ものと捉え、簡単に言うと「自信」だと考えた。「自信」は「自
分を信じる心」つまり「自分の可能性を信じる心」と言える。そ
して、この「自分の可能性を信じる心」はすべての学びの意欲や
夢の原動力につながると考えられる。つまり、この課題を解決し
ない限り本当の意味での学びは成立しない。生徒は、いくら将来
に「夢」をもちなさいと言われても「自信」が無ければ「夢」へ
と向かうエネルギーにはならない。自分に「自信」がなければ未
来に対する明るい見通しや希望が持てず、「夢」を描くことすら
できないだろう。(図 1-2)

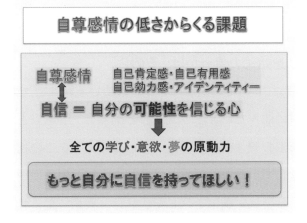

図 1-2

学校教育法*4３０条２項で規定された「学力」の要素には３つ上げられている。この要素の３つめにある「主体的に学習に取り組む態度」＝「学ぶ意欲」「学びに向かう心」を育てるためにはまず、生徒の「自信」を育てない限り本当の意味での「学力」や「生きる力」にはつながらないと考えた。逆に言うと、「自信」（自分の可能性を信じる心）が育てば、「夢」をもち「主体的に学習に取り組み」自ら「知識・技能」を高め、課題解決を通して「思考力・判断力・表現力」が身につくと考えられる。つまり、天城中学校の生徒たちはまだまだ学力や「生きる力」が伸びる可能性を秘めている。では、一体どのような取組をすれば生徒に「自信」をつける（「自尊感情」や「自己肯定感」を高める）ことができるのだろう？当時そのてだてはまだ霧の中で見当もつかなかった。

1-2 ESD を始めたきっかけ　その2

本校で行われていた研究授業を参観している時、担当の先生が「将来天城に住みたいと思う人？」と聞くと、９割以上の生徒が将来は「東京」や「横浜」に住みたいと答えた。この状況はある程度予想はしていたが、こんなに多くの生徒が将来地域を出たいと思っている現状に課題を感じた。私は、東京で生まれ育ったこともあり、伊豆の自然の素晴らしさや歴史的・文化的価値を実感

として理解していた。地域に大学がないこと、はたらく場所も限られていることもあり、ある意味では仕方がないとも思えたが、果たしてこの生徒たちは、本当に天城の自然の素晴らしさを実感として理解しているのだろうか。その素晴らしい自然に恵まれた天城で、時間をかけて育まれた歴史や文化の価値をどれだけ知っているのだろうか。という疑問が大きく頭をもたげてきた。（図1-3）

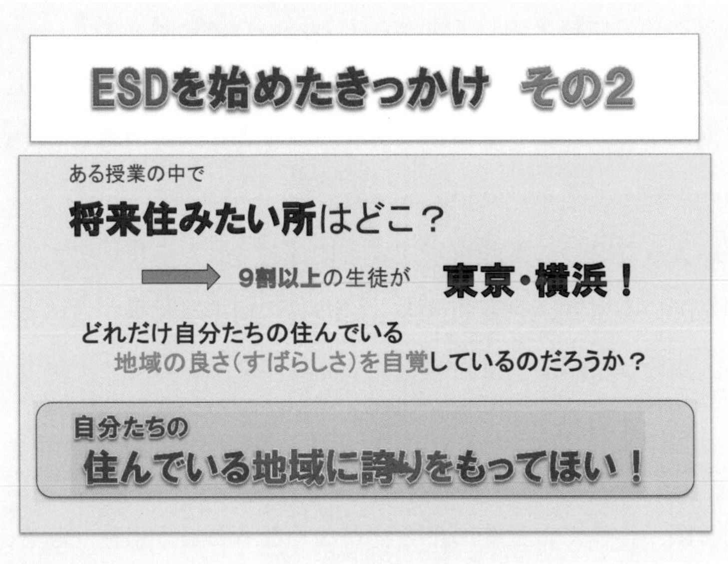

ESDを始めたきっかけ　その2

ある授業の中で
将来住みたい所はどこ？

➡ 9割以上の生徒が　**東京・横浜！**

どれだけ自分たちの住んでいる
地域の良さ（すばらしさ）を自覚しているのだろうか？

自分たちの
住んでいる地域に誇りをもってほい！

図 1-3

　今の中学生は非常に忙しい毎日を送っている。授業を終えると放課後は、原則全員加入の部活動に参加し、下校後は塾や習い事に行き、家に帰れば学校や塾の宿題に追われる。地域の行事には

部活動や部活の大会などのためほとんど参加できない。そうなると、地域の大人や文化に触れる機会もなくなり、自分の住んでいる地域との**つながり**はほとんど無いに等しい。毎日、学校・部活・塾を巡るくり返しで、下手をすると家族との**つながり**までがほとんど無くなり、場合によっては家庭崩壊などの様々な問題を生んでいる。

　このような生徒たちに、せめて小・中学校までの間に、地域の魅力を本物の体験を通して実感してもらいたいと願うようになった。また、福祉体験や職場体験を通して地域の大人と**つながり**、ふれあいや会話を通して地域の大人が何を考え地域で暮らしているのかを知ってもらいたいと思った。

　この大きな2つの課題を解決するにはどうしたら良いのだろうと悩んでいるとき、教育新聞の「ESD」に関する記事が目にとまった。当時は、ESD＝「持続可能な開発のための教育」という言葉だけで、その意味するものが何か、そもそも学校現場で何をすればESDといえるのかは全く見当もつかなかった。

　同じ頃、学校では生徒の持ち物がなくなるという事件が起きた。3年生の生徒の上履きが大量に無くなり、続いて歯ブラシまで無くなったりした。この時、PTAの協力も得て無くなった上履きを捜索したが不思議なことに無くなった大量の上履きは一足も見つからなかった。この時、犯人捜しをするよりこの2つの教育

課題を解決するために「自尊感情」を高めるてだてを打ち、誰もが将来に夢や希望を持ち、自信をもって生活できる学校にすることが先決だという思いが強くなった。

その当時、2012年4月（平成24年度）から全面実施されることになっている新学習指導要領*5の中に社会や理科を中心に「**持続可能な社会**」という文言が繰り返し出てきていた。また、教育振興基本計画(H20.7.1)*6を読むと、そこには「一貫した理念に基づく生涯学習社会の実現」の中でOECDが提唱した「知識基盤社会」の時代を担う子どもたちに必要な主要能力（キーコンピテンシー）と共に現代的、社会的な課題に対して「**地球的な視野で考え、自らの問題として捉え、身近なところから取り組み、持続可能な社会づくりの担い手となるよう一人ひとりを育成する教育（ESD）**」に触れ、「**地球的規模での持続可能な社会の構築は、我が国の教育にとっても重要な理念の一つである。**」と書かれていた。(図1-4)ここで初めて「**持続可能な社会**」という言葉の意味するものと**ESD**がつながり、これからの教育の目指す方向性と天城中学校の生徒が必要としている教育とがつながっていった。

ESD ＝ 持続可能な開発のための教育（持続発展教育）
↓
ESD ＝ 持続可能な社会づくりの担い手を育てる教育！

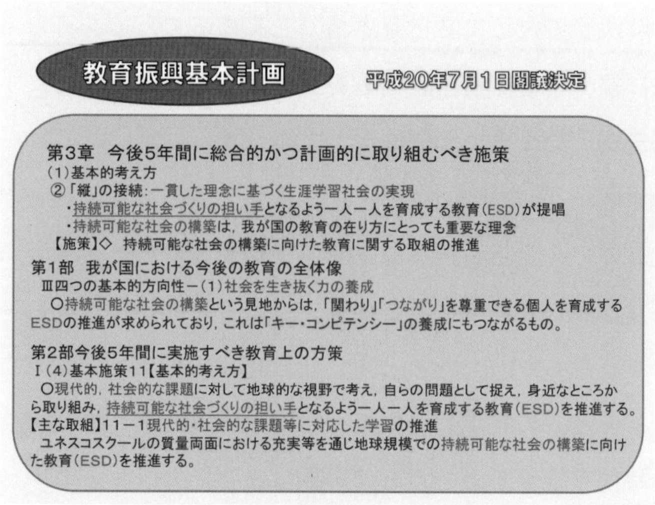

図 1-4

　当時「**開発**」という言葉の意味するものがよく分かっていなかったため、ESD＝「持続可能な**開発**のための教育」という訳や当時文部科学省が使っていた「**持続発展教育**」の意味することが一体何を目指しているのかよく理解できなかった。しかし、「持続可能な**開発**のための教育」を「**持続可能な社会づくりの担い手を育てる教育**」と言い換えることで一気に腑に落ちていった。

　以来、天城中学校では**ESD＝「持続可能な社会づくりの担い手を育てる教育」**という共通理解のもと実践を推進していった。

1-3　ESD の歴史（世界の潮流）

　ESD に取り組むに当たってその準備として ESD に関する世界の大きな潮流を知る必要があった。東京で行われる ESD の研修会やフォーラムに自費で参加し ESD という概念が形成されていった過程を学んだ。（図 1-5）

　1962 年有名なレイチェル・カーソンの「沈黙の春」*7 が出版された。人間が創り出した化学物質が生物や環境に与える影響について警鐘を鳴らした本だ。それから 10 年後の **1972 年**にはローマクラブというシンクタンクから「成長の限界」*8 という本が出版された。この本は、産業革命以来右肩上がりの経済成長を続けていた世界に、人口増加や資源の枯渇からやがて限界がやってくるだろうという警告を発したものだ。そのような世界の流れの中で **1980 年代**に入ると、環境と開発に関する世界委員会が「Our Common Future」*9 の中で「**SD**＝持続可能な開発」という概念を示し、社会の持続可能性を考慮した開発の必要性を訴えた。更に１０年後の **1992 年**リオで地球サミットが開かれその成果指針「アジェンダ２１」*10 の中で、「環境と開発の問題を解決する意識や価値観・能力を身につけ、意思決定への効果的な市民参加を実現するために「**教育**」が重要である」ということが言われた。ここで **SD**（持続可能な開発）に **E**（教育）が付け加わり **ESD**(持続可能な開発のための教育)という概念ができあがっていった。

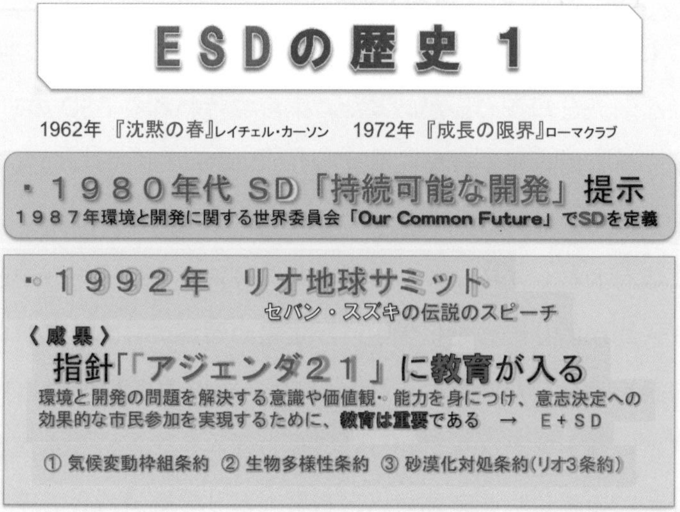

ＥＳＤの歴史 １

1962年『沈黙の春』レイチェル・カーソン　1972年『成長の限界』ローマクラブ

・１９８０年代 SD「持続可能な開発」提示
１９８７年環境と開発に関する世界委員会「Our Common Future」でSDを定義

・１９９２年　リオ地球サミット
セバン・スズキの伝説のスピーチ
〈成果〉
指針「「アジェンダ２１」」に教育が入る
環境と開発の問題を解決する意識や価値観・能力を身につけ、意志決定への
効果的な市民参加を実現するために、**教育は重要**である　→　E＋SD

①気候変動枠組条約　②生物多様性条約　③砂漠化対処条約(リオ3条約)

図 1-5

　そして、忘れてはならないのは日系カナダ人**セバン・スズキ***11 の
「伝説のスピーチ」*12 が行われたのもこのリオ地球サミットの時
だ。当時、たった 12 歳だった彼女の「伝説のスピーチ」を今では
You Tube で見られるようになっている。私は ESD を始めるに当
たって、まず始めにこのビデオを朝礼の時全校生徒に見せた。
　（全校朝礼で話すということは、生徒にはもちろん、そこにいる
先生全員に伝えるという意図があった）そして、たった 12 歳の少
女でもこのようにストレートに自分の考えを表現し、居並ぶ各国
代表を感動させることができたのだから、同年代の君たちにもこ
のようなことができる力を秘めている。もっと自分の可能性を信

じ、自信を持って様々なことにチャレンジしようというメッセージを伝えた。

ESD(Education for Sustainable Development)は日本では「持続可能な開発のための教育」と訳され「持続可能な社会の実現を目指し、私たちが世界の人々や将来世代や環境との関係性の中で生きていることを認識し、持続可能な社会づくりに参画するための力を育む教育」と説明されている。文部科学省はこの力は「**生きる力**」そのものであるとして当時の学習指導要領*5 に ESD の概念を取り入れている。しかし、ESD という言い方はされておらず教育現場にはほとんど ESD という言葉は浸透しなかった。また、ESD という概念は包括的で捉えどころの無いように見えた。そのため、教育現場で ESD に取り組もうとするとき何から手を付けたら良いのか戸惑うことが多い。ある意味、学校現場で取り組んでいる内容はすべて ESD であるとも言える。だからと言って特に ESD といわなくても別段変わりないかと言えばそうではない。ESD の本質を理解し、意図的に取り組む場合と ESD を何も意識しないで取り組む場合では、その結果や成果に雲泥の差が生じる。

本校では、「ESD の学習目標」を「持続可能な社会づくりに関わる課題を見いだし、それらを解決するために必要な能力・態度を身につけること」とした。ESD の切り口はいろいろあり、環境

教育・国際理解教育・防災教育・消費者教育・・・などのいわゆる「〇〇教育」から生物多様性・気候変動・世界遺産等々様々な取り組みが考えられる。どれを選択するかは、その学校の伝統や地域の歴史・文化、生徒の実態や課題、地域の課題等から必然性があり、**生徒が自分事として考えやすいもの**がふさわしい。大人がこれからはグローバル化が進むから「国際理解教育」だと言っていきなり学校現場に持ち込んでも決してうまくいかないだろう。大切なことは、児童・生徒が課題を自分事として捉え追究できるテーマであることだ。このように捉え直すと、今まで上から降りてきた？（現場の忙しい実態からするとまさに上から降ってくる）「〇〇教育に取り組みなさい」という指示がある度に現場は右往左往して、その背景や意図するものをあまり理解しないまま形式だけ整えて実践していたように思う。形だけ整えて魂がこもっていない実践ほど無駄なものはない。何よりもそのような教育を受けた児童・生徒は良い迷惑だ。（もちろんこれは今までの現場経験だけからの私見で、立派にその意図を理解し、子どもにまで落ちていった実践もあると思うが・・）

　前述したように、大切なことはそれぞれの学校や地域の実情と生徒の実態に応じて、ESD に取り組むに当たって「〇〇教育」のどの切り口が最も良いかを学校が主体的に選択することだ。地域の現状とそこに住み生活している児童・生徒の実態から教育課題

を見つけ、例えば、海外からの労働者が多く住み、日常的に外国の子どもと接する機会の多い地域は意図的に「国際理解教育」を選択することに意味があるし、自然災害が予想されそれに対処する必要性が高い地域では「防災教育」に重点を置いて地域の「持続可能な社会」について防災という側面から学び、考え、行動するような ESD を地域の大人と協働して行うことで意味のある実践になると思う。

1−4　ESD により天城中学校が目指した教育（研究仮説とてだて）

　当時、朝礼の度に生徒に様々な「問い」を投げかけた。あるとき「将来の夢を持っている人」と聞くと、やはり、自信を持って手を上げる生徒は2,3人しかいなかった。また、別の機会に「将来もこの天城に住みたいと思う人」と聞くと、たった1人だけ手を上げた女生徒がいた。なぜそう思うのかを聞くと、「天城が好きだから」と自信をもって答えてくれた。その時、この「天城が好き」と言う生徒を一人でも多くしたいと思った。

　今まで捉えて来た生徒の実態を踏まえ、私なりにESDを中心に置いた新しい教育課程を構想し、教育課題の共有から始めた。一番の教育課題は全国平均を20％以上下回る「自尊感情（自己肯定感）」を何とかしたいということである。そこで、先ず始めにこの課題をどうしたら解決できるかを相談した。当時の学校教育目

標は「夢を持ちたくましく生きる生徒」で、生徒に「夢」を持ちなさいと投げかけても自分に自信が持てない現状では「将来の夢」など描けない。生徒の自尊感情を高め、自分の夢を持てる生徒にするためにESDの「持続可能な社会の担い手を育てる」という目標に向け、全職員の力を合わせて取り組もうと問いかけた。熱心な先生が一人で取り組む実践はその先生が異動してしまえば持続可能では無いことは今までの経験から分かっていた。そこで、全職員が同じ方向を向いて取り組むことが重要だと考え、教育課題である「自尊感情の低さ」に様々な機会を捉えて手立てを講じることと、ESDの「持続可能な社会の担い手を育てる」を共通の目標として取り組むことにした。（本校でのホールスクール・アプローチ）

　中学校は教科担任制のため、職員研修は自分の教科のことには力を入れるが他のことになるとベクトルが揃いにくかった。しかし「生徒の自尊感情（自信）を高めたい」という教育課題は意外に各教科・道徳・特別活動へと共有されていった。そこで問題になるのは「自尊感情」を高める手段として「ESD」をどのように位置づけるかということだった。そこで「ESD」＝「持続可能な社会の担い手を育てる教育」を**「地域（天城）を持続可能にするために自分たちに出来ることを考え行動しよう」**と捉え直し、各教科にESDという柱を通し、「持続可能な社会」と関連する内容

を意図的に総合と関連付けて取り組むようにした。しかし、ESD という柱を通して取り組むと言っても何をすればESDになるのか本校の先生は勿論、私も見当がつかなかった。当時の先行事例を見ても何をどう取り組めばESDと言えるのかよく分からず、走りながら実践を積み重ねていった。

　一方で生徒の実態(図1-3)から、将来は東京や横浜に住みたいと考える生徒が多いのがよく分かっていた。その原因はいろいろ考えられた。大きな産業も無く今まで観光で成り立ってきた地域が、観光客が減少し老舗旅館が廃業したり大きな資本を持った都会の企業に身売りしたりして働く場所が失われていく現状を見て、多くの子どもたちの親が地域から外へ出て行くことを促していることは確かだった。また、そのような地域だからこそ学力をつけ、大学へ進学し大企業に就職することを目標とする子どもがいるのは頷けた。そうなると子どもたちはあまり働く場所も無い地域には何の魅力も感じない。「学力」をつけるためには、地域の自然や歴史・文化を知るよりもテストで良い成績を取ることに集中することになる。（このような学力を「地域を捨てる学力」と呼びたい）子どもたちはこの「学力」をつけるために地域の自然の素晴らしさや地域の歴史やそこで培われてきた文化を知らずに卒業していく。また、そのような「学力」の競争から淘汰された子どもたちは益々「自尊感情」が下がっていくことになる。た

とえ地域に残っても、地域に誇りをもって働く若者がどれだけいるだろうか。そうやって、地方から若者がいなくなり少子高齢化が進み、全国で見られる地域の衰退が起きているように感じずにはいられなかった。（図1-6）

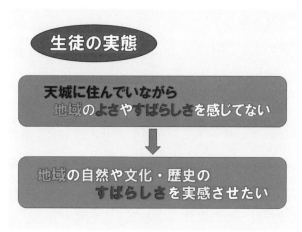

図1-6

　では、どうすればこのような児童・生徒の意識を変えることが出来るのだろう。ESDの大切なキーワードに「**つながり**」がある。この現状を打開するためには、「子どもと地域の人との**つながり**」や「子どもと自然との**つながり**」を取り戻すしか方法はない。そして、「体験」を通して地域の自然、歴史・文化の素晴らしさを実感し、地域の様々な大人とふれあうことにより地域の大人が何を考え、何を守ろうとしているのかを知ることが大切だと考えた。教育課程の中でこのようなことができるのは「総合的な

学習の時間」が最もふさわしかった。当時、全国的に見てもESD
に取り組むのに教科中心が良いのか「総合」中心が良いのかはっ
きりとした結論は出ていなかった。しかし、ここまで考えてくる
と「総合」を中心に据えて実践する方向で考えが固まった。今で
は、ESDに取り組む学校はほとんど「総合」の時間と教科をつな
げて取り組んでいるが、当時はどの教科から手をつけたら良いの
か本当に分からなかった。

　「総合的な学習の時間」が生まれた経緯は、各教科で学んだ知
識・技能が生徒にとっては、互いにばらばらで活用できないとい
う反省を元に、各教科で学んだ知識・技能を教科横断的に活用す
る時間として生まれた。しかし、学校現場ではどちらかというと
教科の学力補充の時間や学校行事の下請け的な時間としてしか活
用されていなかった。また、上から降りてくる「キャリア教育」
や「国際理解教育」「防災教育」「消費者教育」等の「〇〇教
育」に取り組むための時間で、それは生徒の実態を無視した「形
だけやっている」教育に終始し、子どもたちの中にほとんど何も
残らない教育でしかなかった。その時間が、ESDという柱を通す
だけで、３年間を通して意味のある教育に変わっていった。

　もう一度、生徒の実態を見直したとき、「天城」という「自然
や歴史・文化」に恵まれた地域に住んでいながらその素晴らしさ
や価値に何も気づいていないという実態がある。そこには、中学

生の忙しい毎日という背景がある。毎日が学校・部活・塾のくり返しで終始し、地域の自然に触れたり、地域の大人と会話したりすることを通して地域の自然や文化の素晴らしさ、地域の大人が何を考えて何を目標に生活しているかなどを知る暇もないという現状がある。そこで、次のような仮説を立てて実践を組み立てることにした。（図1-7）

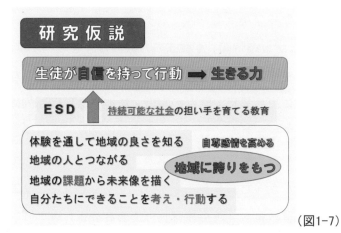

（図1-7）

　仮説を実証するために総合の時間を全面的に見直し、今まで受け継いできた内容を生かしつつ、そこにESDの視点を加味して考えていった。1年生の福祉体験や2年生の職場体験等はそのまま残したが、大きなポイントとして、すべての体験を生徒の住んでいる**地域に限定**した。その意図は、身近にいる地域の大人がどのようなことを考えその仕事に取り組んでいるかを体験や対話を通して学び取って欲しいと考えたからだ。自分たちの住んでいる地域

に限定すると、そこから課題が見えて来たとき、自分たちの住む地域のことだけに生徒にとって一番**自分事**として捉えやすいだろうと考えた。今までは伊豆市以外の職場にも体験に行ったり、自然体験も市外の施設で実施したりしていたが、地域に限定することで自分たちの住んでいる**地域のよさ**と共に**地域の抱えている課題**も見えてくるだろう。今まで日常の学校生活に追われ、近所のおじさんやおばさんが何を考えどんな工夫をして仕事に取り組んでいるのかが見えていなかった生徒が、一緒に仕事をしたり話を聞いたりすることを通して大人の地域に対する思いや考え方を知り、地域に対する親しみや人とのつながりが出来ると考えた。また、かつて天城中学校で実施していた天城縦走（登山）を復活することにした。これにより、地域の自然の素晴らしさを実体験を通して感じ、その自然が持続不可能になっているという課題にも気づくだろうと考えた。（**図1-8**）

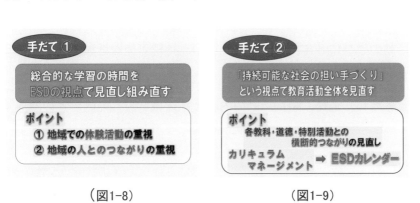

（図1-8） （図1-9）

各教科の学びと体験をつなげ生きて働く知識とするために、年間を通じて体験と教科の学びが連動していく必要がある。そこで必要なことは、総合的な学習の時間の体験と各教科の学習内容をできるだけ結びつけることが必要になる。つまり、教科横断的なカリキュラム（クロスカリキュラム）をデザインする必要があった。当時、東京の東雲小学校で同じような試みがされており、ESDカレンダーと呼んでいたのでそれに習って中学校版のESDカレンダーを作成することにした。これにより、各教科で学んだことが総合的な学習の時間で活かされたり、体験を通して知った課題や疑問を各教科でより深く学び追究したりすることが可能となり、学ぶ意欲や生きた学びにつながると考えた。(**図1-9**)

　これを模式的に図解したものが次の図となる。(**図1-10**)
総合的な学習の時間（通称「天城学習」）と各教科、道徳、特別活動の学びに３年間を通じて「ESD＝持続可能な地域の担い手を育てる教育」という縦串（柱）を通すと共にESDカレンダーにより各教科、道徳、特別活動の内容と「天城学習」の内容との関連を図る（横串を通す）ことにより生きて働く学びにつながると考えた。

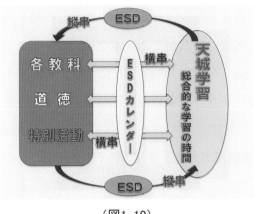

（図1-10）

　ここで天城中学校のESDを各教科と総合との関係で表すと、次
の図のようになる。（**図1-11,1-12**）地球規模で起きている課題は主
に各教科で学び、地域で起きている課題は主に総合的な学習の時
間（天城学習）で体験を通して学び、それらを結びつけて考える
ことで自ら考え、行動を起こす生徒になると考えた。ここで重要
なことは、**世界の課題**（今注目されている**SDGs**[13]は正にそれ）
と**地域の課題**が実は**つながっている**ことを理解することだ。地域
の小さな課題を解決することが、実は地球規模の大きな課題を解
決することに**つながっている**ことを理解したとき、生徒は自信と
勇気を持って行動への一歩を踏み出すようになる。地球規模の大
きな課題は、中学生の考える小さな行動では何の解決にもならな
いと思っている生徒が、地域の課題と世界の課題との「**つなが**

り」を理解することで、自分たちの小さな「行動」（Action）が世界の課題の解決につながるという自信と勇気となり、ESDで重要とされている「行動」（Action）につながると考えた。ESDでは考えを発信するだけでなく自ら行動を起こすことに意味があるとされている。ESDでよく言われている**Think Globally Act Locally（地球規模で考え、足下から行動しよう）**の意味はこの世界の課題と地域の課題の「**つながり**」を理解させることだと考えた。

図1-11　　　　　　　　　　　図1-12

　21世紀を「生きる力」とは、このような学びを通してこそ育つ。そして、ESDにはそのきっかけを与えるに足る学びがある。ESDの実践で、自分たちの住む地域を「持続可能な社会」にしようという大きな目標を掲げ、直接体験と地域の人との「**つなが**

り」を通して学び考え行動することが、受験という知識競争で自
信を失っている子どもたちに「自信（自尊感情・自己肯定感）」
を持たせ、自分にも活躍できる場があり社会に貢献できるという
「生きている意味」を自覚させる可能性を感じた。つまり、この
ような学びを通して「自尊感情」が低いという本校の教育課題を
解決できると考えた。（図1-13）

目 指 す も の は

21世紀を「生きる力」を身につける

ESD　　自尊感情を高め
（持続可能な社会の担い手を育てる教育）

地域を「持続可能な社会」にしよう
体験と地域の人とのつながりから
学び・考え・行動する

図1-13

第2章 ESDの実践に至るまでの経過（準備段階と環境整備）

　2007 年〜2008 年で地域や生徒の実態を把握し、教育課題の解決に向けて ESD にたどりついた。しかし、ESD についてはまだ本当の意味で理解してはいなかった。しかし、長年の経験からくる直感から ESD を柱とした天城中学校のグランドデザインを作り、初めに取り組んだのは学校を地域に向けて開くことだった。

　この時、教頭時代に「学校を開く」ことについて研究し、中学校で実践したこと（キャロットクラブの実践）の一つが役に立った。それは、空き教室を利用して地域の方の作品展示（仕事や趣味として作った様々な作品を展示）を行うことだ。

2-1地域の人との交流の場（空き教室を使った大人の作品展示）

　先ず初めに取り組んだことは、着任当時物置状態になっていた PTS（親＋教師＋生徒）ルームの片付けだった。本来、保護者と教師と生徒が交流する場として設けられた部屋で、鍵さえあれば学校が閉まっている休みの日でも自由に出入りでき活動に使えるようになっていたが、いつの日か活用されなくなっていた。その部屋を利用して、地域の人の作品展示を行うことによって、地域の大人が趣味でつくった作品などを展示し、地域の方と生徒が気

軽に交流できる場を提供することだ。最初に行ったのは、地域で写真館を営む傍ら毎日のように天城山に登り八丁池と呼ばれる湖に生息する天然記念物のモリアオガエルの記録写真を撮り続けた川田五十六さんの写真展だった。「天城・命の賛歌」と題する作品展は、クラス毎に見学時間を割り振って必ず一度は展示を見学し、その感想を A6 判の小さな紙に感想を書くようにした。感想を読むと「天城に住んでいながら八丁池の存在を知らなかった。」とか「モリアオガエルをはじめて知って見に行きたいと思うようになった。」というように、生徒の自然体験が少ないという実態を知ることができた。また、天城の自然体験活動に対する重要な動機付けとなった。そして、改めて子どもたちに地域の自然の素晴らしさを体験させたいと思う気持ちが強くなった。また、写真を展示した川田さんにとっては、子どもたちの感想を読んで、自分が続けてきた記録写真を展示したことで生徒たちに様々な影響を与え大きな意味があったことを知り、展示して良かったという思いを強くすることとなった。(図 2-1)

　また、その事がきっかけとなって、全校生徒に「天城の自然と八丁池のモリアオガエル」について講演していただくこととなった。

図 2-1

その後、天城に自生する「山野草の生け花展」(図 2-2)や趣味で色鉛筆画を描いている方の静物画の展示、陶芸家の作品展・・・等々の展示を続けていった。この展示を続けることで、生徒たちに「天城に住んでいながら地域のことを知らなかった」「もっと地域のことを知りたい」という思いが湧くきっかけとなった。このように、地域の人にとっても生徒との交流を通して生きがいにつながり、生徒にとっても地域の方の思いや考え方を知ることで地域に目を開き、愛着を持つきっかけとなった。(この作品展の企画運営は代々の教頭先生が担った)

図 2-2

2-2 各種の ESD に関する研修会への参加

　とにかく、私自身 ESD がよく分からなかったので先生に伝える
ためにも、様々な情報を集め、土・日に行われる様々な研修会や
講演会に参加した。もちろん土・日の研修会など県費の旅費など
出ないので手弁当で参加した。ESD-J*14 の第 2 回全国ミーティン
グ(2009.2.21)に参加した時には、わかる！ESD テキストブックシ
リーズ 1 （基礎編） 「未来をつくる『人』を育てよう」を購入
し、ESD の基礎から勉強した。そして、このテキストを基に研修
用のパワーポイントをつくり職員研修で先生たちと一緒に理解を
深めた。その他、東京に実家があるという強みを活かして、開発
教育協会（DEAR）*15 の研修会や WorldShift Forum*16 等の様々な
研修会に手当たり次第参加した。

2-3 ユネスコスクールに加盟申請

　ESD について学ぶために、夏休みに 2 人の職員を ESD 先進地
域である仙台に派遣した。（2009.7.28〜30） 　ESD を中心となって
推進している宮城教育大の見上先生と小金澤先生の元へ教えを請
うためだった。この時、市を挙げてユネスコスクールに加盟して
いる気仙沼市の面瀬中と鹿折中にも視察に行った。

　当時、宮城教育大学の担当者から ESD に取り組むなら、ユネス
コスクールに加盟した方が良いと勧められた。しかも、ESD の研

修のための旅費であれば「ユネスコスクール支援大学間ネットワーク」(ASPUnivnet)*17 に加盟している大学が負担してくれると言うことだった。先生が研修会に参加するための旅費の工面に困っていた私は、もちろんその提案に飛びついた。（つまり、ユネスコスクールに加盟した初期の動機は旅費がもらえるという全く不純なものだった。）宮城教育大での研修内容は現場の実践に沿った素晴らしいものですぐに職員研修で共有した。

　その年、第１回ユネスコスクール全国大会(2009.11.14)が東京の渋谷教育学園で開かれた。これからユネスコスクールに加盟しようとしている学校は旅費の補助も出るというので６人の職員を連れて参加した。参加することでユネスコスクールというものの位置づけが何となくわかったような気がした。何よりも印象に残っているのは渋谷教育学園の中高生の物怖じしない自信に満ちた態度と Take Action! という言葉だった。お陰で、ESD はただ学んで理解するだけではなく行動に示さなければいけないということが強烈に印象づけられた。その後、早速ユネスコスクールの加盟申請書を提出した。（2009.11.20）　この申請書は、ユネスコの本部があるパリに英文で出すことになっている。決められた書式に従って、日本語の案を書き、英語担当と ALT の３人で苦労して何とか申請書を書き上げ、文科省の国際統括官付へと１１月中に提出をすることができた。パリのユネスコスクール担当者は１人し

かいないので、申請が通るまで1年はかかると言われた。（実際に認定書が届いたのは約1年後で日付は7月9日となっていた。この時、初めて天城中学校が静岡県で最初のユネスコスクールだということが分かり驚いた。もちろん一番になろうと意図していた訳ではなかったが、県で最初ということは正直嬉しかった。）

2-4 3年生の八丁池遠足を実施(2009.11.10)

まだ本格的にはESDを実施していなかったが、当時の3年生にも天城の自然を体験させたいという先生たちの思いから、3年の11月という時期にも関わらず「八丁池遠足」を実施した。この時は、天城自然ガイドクラブの方数名にお願いし、自然ガイドと共に安全確保を担って頂いた。今から思うと受験を控えたこの時期によく実現したと思うが、秋晴れの中美しい紅葉に染まった天城山を登り、青空と紅葉を写す湖面（八丁池）を眺めた体験は生徒にとって忘れられない思い出となった。（図2-3）

図 2-3

2-5　玉川大学の ESD セミナーへの参加（2009.12.19）

　宮城教育大学への視察後、大学側からは様々な研修会の案内が来るようになった。その中の一つに、ユネスコパートナーシップ事業で行われる研修会の案内があった。しかも、宮城では遠いので神奈川県にある玉川大学で ESD のセミナーが開かれるのでどうですかと誘いを受け、玉川大学の渡辺先生を紹介された。旅費も支給されると言うことで喜んで参加し、今までの実践を発表することもできた。この時、現 ACCU*18 の渡辺先生と面識を持つと同時に、現在も校長として活躍されている住田先生とも面識を持つことができた。このようにして、今までの近隣の学校の先生が中心の狭い**つながり**から、ESD を通して一気に様々な人との**つながり**ができ、人間関係が広がっていった。

第3章　本格的な ESD のスタート

　前年度までに ESD をスタートするための様々な仕掛けをしてき
た。例えば、月に１回開かれる全校生徒と先生が集まる「朝礼」
は格好の場となった。前述したセバン・スズキのリオ地球サミッ
トでの「伝説のスピーチ」の映像を見せたこともその一つだ。そ
の他にも、過度な森林伐採による土壌流失から食料危機と部族抗
争により文明が崩壊したと言われる「イースター島の物語」をパ
ワーポイントにして環境問題を考えたり、ジョー・オダネル*19 の
「焼き場に立つ少年」の写真を見ながら戦争と核の問題を考えた
りした。

3-1　中学校職員による天城登山体験 (2010.4.11)
　ユネスコスクールの申請も終わり、新年度を迎えて始めに取り
組んだのは天城中学校の職員による天城登山だった。もちろん、
学校の休みの日に登ったので、あくまでも有志による自由参加で
あったが、事務職員や養護教諭を含めてほぼ全員が参加した。目
的は、これから生徒と共に天城の自然について学習するために、
先ず教師が学習する必要があるという声が上がったのがきっかけ
だった。ガイドには天城自然ガイドクラブ*20 の方をお願いし、天
城山を縦走しながら職員みんなで天城について学習をした。私自

身２０数年ぶりに縦走を経験し、その変化に驚かされた。以前は、登山道以外はスズタケというササで覆われ、登山道から逸れることはなかったが、そのスズタケがほとんど枯れてなくなり、どこが登山道だか分からなくなっていた。登山道周辺の木々は、所々樹皮が剥がされ、中には立ち枯れている木も見られた。その原因は鹿による食害で、温暖化のため？生息数が近年急激に増えているからだということだった。実際、登山中に数頭のシカを目撃した。この、体験を通して感じた変化や驚きは、どんな素晴らしい映像や説明でも伝わらない。もちろん、天城山は以前と同じ素晴らしい自然の姿も見せてくれた。私たち職員は、この自然の素晴らしさや直面している課題をこのような体験を通して直に感じることこそ今の生徒には必要だという思いを強くして登山を終えた。（図 3-1）

図 3-1

3-2　環境教育講演会を開催（2010.4.23）

　次に行ったのは環境教育講演会だった。たまたま、中学校時代の同級生で環境省に勤めていた一方井氏が、在任中に 1992 年の

地球サミットと 2001 年ドイツのボンで行われた COP 6 *21 で京都
議定書の実質合意の場に参画していた。そこで、一方井氏に講演
をお願いしたところ、快く引き受けてくれた。講演当時は、京都
大学経済研究所に勤めており、環境政策研究と大学院での教育を
行っていた。事情を説明して相談したところ「京都議定書の意味
と世界の動き」という演題で講演をしてもらうことになった。難
しそうに感じる内容を「将来住むならばトトロの世界がいいか、
ドラえもんの世界がいいか？」というような分かりやすい問いを
立てて説明し、生徒も真剣な表情で聞いていた。（図 3-2）

（生徒の感想より）
・ 今日は京都大学の先生が来て環境について話してくれました。印象
に残ったのは、トトロの世界と近代化されたドラえもんの世界のどちら
かにして CO2 の排出を減らすことです。僕はトトロの方がいいけど、そ
れにはものすごく大変になるのかなと思いました。（A.Y 男）
・ 6時間目に一方井さんの京都議定書の意味と世界の動きの講演を
聴きました。京都に修学旅行に行くときには「Do You 京都？」に答え
られるように、地球温暖化の対策について考えたいです。（I.C 女）

図 3-2　体育館で行われた一方井氏による「環境教育講演会」(2010.4.23)

3-3　校内研修で中学3年間の ESD の骨子を作成(2010.5.12、8.20)

　ESD を柱に教育課程を組むに当たって、ESD-J（持続可能な開発のための教育の 10 年推進会議）に 2 回にわたって講師派遣を要請した。

　5 月の校内研修には ESD-J 事務局次長の佐々木氏に ESD に取り組むための心構えや考え方をワールドカフェの手法を使って学んだ。この場では、これからの指導計画を立てるのではなく、地域の魅力や課題についてみんなで出し合いながら考えた。この研修会に校外の方にも参加を呼びかけたところ、隣の小学校からも先生が参加した。（図 3-3）

図 3-3　佐々木氏を迎えての5月の ESD 研修会（2010.5.12）

　８月の校内研修には ESD-J の理事で ECOM*[22] 代表の森氏にお願いし、これから３年間の「総合的な学習の時間」の計画立案をファシリテートしてもらった。この研修会にも外部の人の参加を要請したところ地域の学校評議員の方も参加し、一緒にこれからの中学校の学びについて考えることができた。（**図 3-4**）

図 3-4　森氏を迎えての 8 月の ESD 研修会（2010.8.20）

　この研修で大切にしたことは、突然新たな取り組みを始めるのではなく、学校が伝統として引き継いできたものを大切にしなが

ら、3年間の総合の時間にESDという一本の筋を通すことだった。もちろん、この筋というのはESDを「持続可能な天城の担い手を育てる教育」と捉え直して考えた。職員は当初から、地域に魅力を感じていない子どもが多く、体験を通して地域の自然の素晴らしさを感じる場が必要だと感じていた。そこで、地域外で行っていた宿泊訓練や野外活動を天城という地域に限定にし、1年で八丁池への登山、2年で天城縦走を取り入れることにした。

（天城縦走はかつて行われていたが当時は実施されていなかった）自然体験を2度計画に入れた意図は、とにかく天城の自然のことをよく知らない中学生に、1年で先ず天城の自然の魅力や素晴らしさを実感させ、季節を変えて2年で天城縦走を体験することでその素晴らしい自然が今、持続不可能になってきている事実に気づいて欲しいという意図からだった。このように3年間を通じて様々な体験をし、そこからそれぞれの生徒が個々に自分事として感じた課題について、どのように解決したら良いと思うのか考え、行動したり伊豆市への提言にまとめたりできるのではないかと考えた。この時点で総合的な学習の時間の呼び名を「天城学習」の時間と呼ぶように改めた。

　ESDの柱を通した「天城学習」（総合的な学習）と各教科・道徳・特別活動との関連（**つながり**）をつけ、各教科の教師が意図的に授業を組み立てるために、職員研修で学年毎のクロスカリキ

ュラム（ESD カレンダー）を考えた。当時は、あまり厳密な計画でなく、各教科の先生が常に総合の内容や ESD（持続可能な社会）に関係する内容を、時期を考えながら意図的に扱えるようにするために作成した。（図 3-5）

平成２２年度　総合的な学習の時間『天城学習』年間計画(案)

	第1学年	第2学年	第3学年
4月	福祉体験学習 準備	自然体験学習 準備	修学旅行 準備
5月	福祉体験学習 5／20（木）22（土）	自然体験学習 5／21（金）22（土）	修学旅行（奈良・京都） 5／20（木）21（金）22（土）
6月	福祉体験学習 まとめ 自然体験学習 準備	自然体験学習 まとめ 職業体験学習 準備	修学旅行 まとめ 地域学習 準備
7月	↓	↓	↓
8月			
9月			
10月	自然体験学習 10／28（木）29（金）	職場体験学習 10／27（水）28（木）29（金）	地域学習 10／28（木）
11月	自然体験学習 まとめ 総合発表会 準備（福祉・環境）	職場体験学習 まとめ 総合発表会 準備（職業・環境）	地域学習 まとめ 総合発表会 準備（地域への提言）
12月	↓	↓	進路学習 ↓
1月			
2月	総合発表会2／5（土）	総合発表会2／5（土）	総合発表会2／5（土）

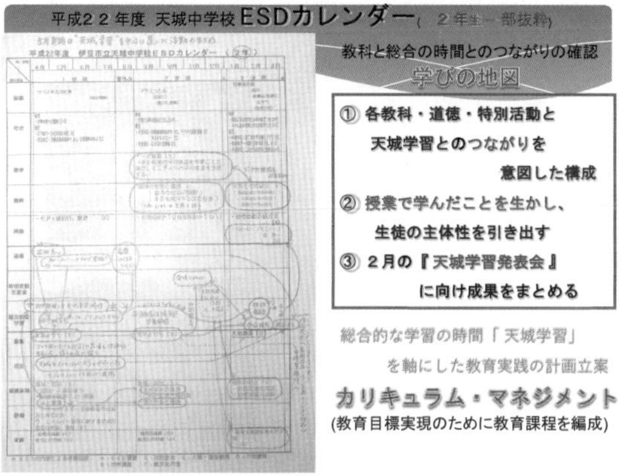

平成２２年度　天城中学校ESDカレンダー（2年生 一部抜粋）

教科と総合の時間とのつながりの確認
学びの地図

① 各教科・道徳・特別活動と
　天城学習とのつながりを
　　　　　　意図した構成

② 授業で学んだことを生かし、
　生徒の主体性を引き出す

③ 2月の『天城学習発表会』
　に向け成果をまとめる

総合的な学習の時間「天城学習」
を軸にした教育実践の計画立案

カリキュラム・マネジメント
(教育目標実現のために教育課程を編成)

図 3-5

3-4　第2回ユネスコスクール全国大会で ESD 大賞受賞

　校内研修や学校行事、各教科、道徳、特別活動での教育実践を経てようやく ESD の実践が軌道に乗った頃、第２回ユネスコスクール全国大会の案内が届いた。それと同時に、新たに設けられた「持続発展教育（ESD）大賞」の募集要項も届いた。今度のユネスコスクール全国大会はスタートでお世話になった宮城教育大学が会場だった。これは是非とも参加しないといけないと思い、私と職員２名の３名で参加申込をした。「ESD 大賞」については、まだ始めてから期間も短く大きな成果は見られないけれど、生徒にはそれなりの変容が見られていた。何よりも、生徒が明るく元気になり、何事にも積極的に取り組むようになってきたと感じていた。そこで、ダメでもいいので応募してみようと言うことになり、今までの研修の成果と生徒の変容や今後の計画をまとめて応募した。大切にしたのは ESD に取り組む前の実践を大切にしつつ教育課程に ESD（持続可能な社会の担い手を育てる）という大きな柱を通し、それにともない学校行事や各教科・道徳・特活の内容や配列を関連づけたカリキュラムに組み直したことを書いた。（これは、現在学習指導要領で言われているカリキュラムマネージメントそのものだった。）また、ESD の実践を始めると生徒はもちろん職員や学校全体の雰囲気が変わっていったこと、自然体験活動を通して生徒の中に課題意識が芽生えてきたことは大きな

成果だった。ただ、まだ実践途中でいわゆる ESD で求められている「行動」には至っていないことも正直に書いて応募した。10 月に入って間もない頃、電話で（文書での知らせはなかったように記憶している）第 1 回の ESD 大賞中学校賞の受賞が決定しましたとの知らせを聞いたときは耳を疑った。あまりにもわたしの反応が弱かったせいか、電話の相手はくり返し念を押して知らせてくれた。私としては実感が湧かず「ありがとうございました」と言うのが精一杯だった。

図 3-6

この受賞をきっかけに、授賞にふさわしい実績を残さないといけないという思いでますます実践に熱が入った。当初、ESD の運営委員会では生徒に対し「ESD」という文言は（自分たち教師も良く理解していないので）使わないようにしようという申し合わせだったが、そのうち生徒自身の口から「ESD」という言葉が聞かれるようになった。もちろん使っている生徒の理解の程度も

様々であったが、新しい言葉が定着していく過程というのはこうやって使いながら意味を理解していくのだろうと思った。他の先生たちも生徒がESDを口にすることにはこだわらなかった。

　第2回ユネスコスクール全国大会(**図 3-6**)に参加してESD大賞の受賞した後の懇親会で大きなチャンスに巡り会った。それは、ESDを始めようとしたきっかけの「自尊感情」の測定に関することだった。当初から「自尊感情」をテーマにESDを始めた以上、その成果を「自尊感情」の高まりという形で検証する必要があると考えていた。しかし、引用したデータは文科省の全国学力・学習状況調査の結果で、現在の生徒の追跡調査はできていないのでどうしたものかと悩んでいた所だった。そのような折に懇親会で鳴門教育大学の伴先生を紹介され、私の研究室では「自尊感情」の測定ができるので、良かったら協力しますとの申し出があったのだ！もちろん、お願いします！と即答した。

　その後、鳴門教育大学の大学院生（横嶋氏）が天城中学校の現状の調査に訪れ、彼自身の修士論文としての研究が始まった。彼が本校に初めて来たときに話しを聞くと、驚いたことに南伊豆出身の先生だった。そのため、本校の研修会や体験活動に参加する時は、南伊豆の実家から通うことができた。彼の研究は、2011年10月の1年生の「自然体験」に同行しながらの参与観察と2012年3月の3年生11名に対するインタビュー調査、同じく3月の

天城中を含む４つの中学校を対象とした意識調査（質問紙）によりまとめられた。（論文の概要については第六章に記載する）

ESD を始めるに当たって職員で天城縦走をして天城の自然を学んだ　2010.4.11

第4章　天城中の ESD　～　実践編　～

　　ここから、実際に ESD として当時各学年でどのような考えのもと総合的な学習「天城学習」を展開していったかの概要を示していく。以前に触れたように、「天城学習」の組み立ての基本は ESD を取り入れる以前の実践を生かしながら3年間の総合的な学習の時間に ESD（持続可能な天城の担い手を育てる教育）という柱を通すことだった。3年間を通じて ESD の柱を通すことで、今までのバラバラな体験学習が有機的に結びつくことになった。

総合的な学習の時間 『 天城学習 』 の計画

福祉体験学習（1年春）地域の福祉施設で直接体験学習
デイサービス、介護老人保健施設、老人福祉施設等での体験を通じて、思いやりの心を育て、地域の高齢化の課題や共生の意味を考える。

自然体験学習（1年秋・2年春）天城の自然の中で直接体験学習
八丁池や天城山の縦走体験を通して地域の自然の素晴らしさを知ると同時に身近な天城の自然が持続不可能になりつつある現実を知り、環境意識を高め、地域の自然を持続するための方法を考える。

職場体験学習（2年秋）地域の職場で直接体験学習
地域を支える仕事や産業について体験を通して学び、地域が現在の経済を維持し、持続可能な発展をするためには何が必要かを体験をもとに考える。

修学旅行（3年春）➡ 地域学習（3年秋）地域の持続発展を提言
「2020年夢天城 ～10年後、天城の魅力を持続・発展しよう～ 」をテーマに、京都・奈良をモデル都市としてその魅力を探ると共に、天城の魅力や課題を新たに発見し、もう一度地域を見直し今後の地域の持続発展を見据えた提言をする。

天城学習で大切にしたのは、教え込むのではなく実際の体験を通して直に感じたものを大切にし、各教科の学習では、この体験を互いに補完するように事前に予備知識を学んだり、課題の解決に必要な知識や技能を学んだりできるようにカリキュラムを組み直した。また、3年間を通しての大きなテーマ「自分たちの住んでいる天城を持続可能な地域にしよう！」に沿うように、体験はできる限り天城という地域に限定して行った。今までは、職場体験を天城から離れた地域で行うこともあったが、敢えて地域の職場にこだわり、そこから見えてくる地域のよさや課題に気づかせたいという思いだった。

　このような「天城学習」を創りあげて行くためには、教職員の努力と地域の協力が必要不可欠で、ESD のキーワードである様々な**つながり**なくしてはなしえなかった。当時「天城学習」で協力していただいた地域の様々な方との**つながり**を以下に示す。

4-1　1年生春の福祉体験学習（図 4-1,4-2）

　生徒は地域の福祉施設で、地域のお年寄りがどのような思いで暮らしているのかと言うことを知ったり、体験を通して地域の高齢化問題を直に感じ取ったりしていた。この体験を通して感じた地域への課題意識が 3 年間の ESD を通して「天城を持続可能にするために」自分たちは何ができるかを考える基盤となっていく。

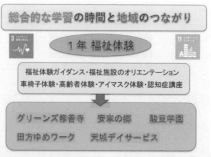

図 4-1

図 4-2　1年生の福祉体験での様子

4-2　1年生秋と2年生春の自然体験学習

　1年と2年で季節を変えて行う自然体験学習のねらいは、正に地域の自然を感じていない生徒に、体験を通して素晴らしさを実感してもらう事だった。そして、2年間の体験を通して素晴らし自然が今、持続不可能になりつつあるという課題に気づいて欲しいという事だった。この体験で有り難かったのは森林管理所*23 と天城自然ガイドクラブの方や地域の天城こどもネットワーク*24 と伊豆自然塾*25 の方の全面的な協力（**つながり**）だった。（図 4-3,4-4）

図 4-3

図 4-4　2年天城縦走（自然体験）での様子

4-3　2年生秋の職場体験学習

　職場体験も地域の全面的な協力があったからこそ充実した体験ができた。職場では地域の方の温かい支援の元、地域で働く人の強い思いや優しさを実感した生徒が多くいた。（図 4-5,4-6）

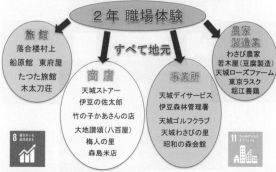

図 4-5

図 4-6　職場体験の事前学習と体験先での生徒の様子

4-4 3年生の修学旅行（今までと全く違った意味の修学旅行となった）

　3年生は2年間の「天城学習」を通して見つけた自分なりの課題（テーマ）の解決策を見つけるために修学旅行に向かい、古都京都・奈良を「持続可能な文化のモデル都市」と位置づけ、そこから学ぶべきことを探るために、必要な施設や役所に取材のアポを取って出かけた。そのため、今までの修学旅行とは全く違った文字通り「学問を修める」ための旅行に変わった。（図4-7.4-8）

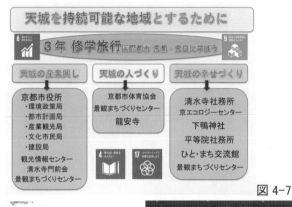

図4-7

図4-8　3年修学旅行の様子

4-5 3年生秋の地域学習（再度地域を見直し提言をまとめる）（図 4-9,4-10）

　修学旅行後、京都・奈良で取材した内容を基にもう一度自分た
ちの住む地域に目を向け、取材しながら地域の課題に対する自分
なりの提言をまとめ最後の「天城学習発表会」に臨んだ。

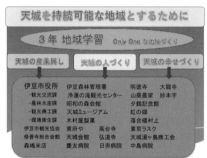

図 4-9

図 4-10　3年地域学習の様子（テーマ毎のグループで取材）

4-6 天城学習発表会（学年毎に体験のまとめを発表し、3年生は市に提言を！）

　各学年の最後には天城学習のまとめとして「天城学習発表会」で今まで体験を通して深めた探究の結果を全校生徒の前で発表・展示する場を設けた。特に、3年生は3年間の学習の集大成としてそれぞれ自分が選んで追究してきた地域の課題に対する提言（解決策）を発表した。（図4-11）

図4-11　天城学習（総合）の発表会と市長に提言を届けた時の様子

　初年度に3年の生徒がまとめた「提言」を生徒会の役員が市長室まで出かけて手渡した。するとその後、すぐにそれぞれの提言に対して市長さんからのフィードバックが届いた。これには生徒も驚き、同時に自分の提言に対して市長さんから直接それぞれに

コメントをいただいた喜びと自己肯定感を感じたに違いない。その後は、発表会に市長さんを招待し、直接講評していただくようになった。この実践の流れは日本ユネスコ国内委員会が発行する「ユネスコスクールと持続発展教育（ESD）」*26の冊子に掲載された。（下図）

4-7　実践を通して感じた各学年主任の思いと生徒の変容

　様々な体験活動の準備や実施を担ったのは学年主任と担任や養護
教諭だった。当時、ESD-J の季刊誌に天城中の実践が取り上げら
れ、その際に各学年主任が綴った思いを以下に掲載する。

「外部との連絡に苦慮、体験の大切さを実感」　１年学年主任　久保田正基

　一番苦労したのは、外部との連絡調整が予想以上に多かったこ
と。何をどう進めていったらいいのかわからず段取りが大変でし
た。天城登山のルートは伊豆市や河津町にまたがっているため、
林道にかかっている鍵を借りるために、両方の市町に許可を申請
しなければなりませんでした。私なりのこだわりは、言葉ではな
く様々な実体験を通して天城の良さに触れることです。当日はあ
いにくの雨降りでしたが、そのような天候でも、生徒たちは天城
自然ガイドクラブの方の話しを真剣に聞き、天城の自然を実際に
見たり触ったりすることができました。サルナシの実を食べ、
「酸っぱい」とか「これがキウイの原種と知って驚いた」などの
感想も出て、体験学習の大切さを感じました。

　天城の良さを知り、将来天城を離れることになっても郷土を愛
する気持ちを生徒たちのなかに育みたいと願っています。夏の
ESD 校内研修では、そのような願いを職員みんなで確認できたこ
とが大変良かったと思います。

来年は、今年やってきた実践をもとに持続可能な地域の未来像を描き、自分なりの考えをもって行動できる生徒を育てて行きたいです。

「自分たちはすばらしいところで育っている」と感じさせたい

2年学年主任　土屋浩之

　自尊感情を高めるために、まず力を注いだのが「天城の良さを知る」活動です。昨年までキャンプとして行っていた宿泊行事を地域環境学習「天城学習」として屋台骨を組み直し、終了後、生徒が「自分たちはすばらしいところで生まれ育っているんだな」という思いを抱く活動にしたいと考えました。同時に、その活動に多くの人たちとの関わりをもたせることにより、より一層広い視野で自分たちの住む地区を見つめ直す機会にすることができると考えました。事前学習では環境カウンセラーに講話を、ハイキングでは伊豆森林管理署や天城自然ガイドクラブの方たちに夕食づくりには保護者に協力を依頼するなど、多くの人たちとの触れあいを意図的に設定しました。

　また、夕食の食材にもこだわり、「天城を食す」をテーマに地元の野菜、豆腐、天城シャモ、猪肉など、周辺の商店や事業所に趣旨を説明し格安で食材を分けてもらい、野菜や米などは協力を呼びかけた家庭から無償提供を受けることができました。当日は

20人を越えるお母さんたちが朝から炊飯、調理等の準備を行い生徒の到着を待ちました。メニューは、ご飯に天城シャモを焼いたお肉、豚汁、猪カレーというシンプルなものでしたが、生徒たちの顔にもお母さんたちの顔にも笑顔があふれていました。

「生徒への働きかけ方を教師も学んだ一年」　　3年学年主任　天野正人

　昨年からはESDの考え方が浸透し、本年度にかけ教育活動の軸（視点と指針）となりました。その結果、総合的な学習の時間のテーマを「2020年夢天城 ～10年後、天城の魅力を持続発展しよう～」とし、修学旅行でモデル都市「京都・奈良」の魅力を探りました。

　また、これまでの福祉・職場体験も視野に入れながら各自の追究テーマを決定しました。古都や地域での見聞や検証をもとに、天城の魅力や課題を新たに発見し、10年後の天城の発展を願い、魅力ある地域になるための提案を考えました。

　学習を進めていくなかで難しかった点は、古都（世界遺産）や地域の魅力・価値を生徒自身が発見できるために、教師がどう働きかければよいかという点でした。職員研修をきっかけに、取材やインタビュー等の重要性を再確認した上で校外学習を実施した結果、既存資料を検索する以上の内容を生徒が意欲的に得たことを確認できました。今後は、ESDの考えを軸とした教育活動に教師が価値を感じ、継続することが重要だと思います。

4-8 実践における生徒の様子

　前述した鳴門教育大の横嶋氏もこの体験活動の一部に同行しその時の様子を取材・記録し次のようにまとめている。

〈横嶋氏の修士論文より抜粋して引用（図は省略）〉

第2節　自然体験学習への参与観察の記録と分析

1-1　天城登山の観察と記録

　自然体験学習とは、A中学校の一年生を対象としたESD実践一泊二日で、地元の天城山での自然体験を行うなかで地域のすばらしさや問題、課題を学習するというA中学校のESD実践のひとつである。近年、A中学校の周辺地域では、マメザクラやスズタケの枯渇など環境に関する問題・課題を抱えているが、先述の通り、増えすぎた鹿による作物などへの被害を受ける鹿の食害問題に悩まされている。天城登山では、天城の自然を守る会や伊豆森林管理署の方のガイドのもとでフィールドワークを行い、地域の自然環境・地理・歴史を中心に地域が課題としている問題点について学習した。

１．鹿の食害の説明を受ける生徒の様子

　実際に天城の山を歩いてみると、鹿による食害がひどいことは一目瞭然であった。図39は天城の山に自生するスズ竹を映したものだが、写真の手前にみえるわずかな葉だけを残して、鹿よって

すべて食べられてしまっている。スズ竹だけでなく、ブナやヒメシャラの苗木、多くの草花なども食べられてしまっていた。森林管理署の方が、「残っている草花は鹿の食べ残したものだ」と説明をすると、生徒たちは何が食べられ、何が残っているのか、周囲の様子を細かく観察しながら山道を歩いて行った。山道を歩くなかで、森林管理署の方がところどころで天城の自然について説明をおこなった。森林管理署の方の話を聞き、真剣にメモをとる生徒たちの様子を見るとピクニックに来たかのようなわいわいとしたものではなく、周囲を観察し、真剣にメモを取りながら山道を歩いて行った。

2. 自然観察の生徒の様子

　生徒たちは森林管理署の方の説明のメモを取るだけでなく、自分たちの目で見て、耳で 聞き、手で触り、匂いを嗅いで、五感を使って周囲を観察することでさまざまなことに気づいていた。自然を観察するなかで、「先生！ここから土の質が変わっているけれど、これはどうしてですか？」と気がつく者もいれば、「これって食べられるやつでしょ？」と木の実を見つける生徒もいた。ガイドさんに木の実の説明を受けながら実際に食べて味を確認する生徒も多くみられた。また、森林管理署の方がヒメシャラの木が水を多く保有しているために木の幹が冷たいことなどを話すと、生徒たちは実際にヒメシャラに触って感覚を確かめたり、耳を当

てて木を感じたりして観察をしていた。なかには、「鹿が角で木の皮をはがして食べてしまうと、木が腐ってしまう」という森林管理署の方の説明を受けて、実際に山道の脇の急な山を駆け上がって鹿の角で傷つけられた木を見に行く生徒もいた。

３．森林管理署の方と生徒の会話

　自然の様子を観察するだけでなく、森林管理署の方の服装に気づいた生徒もいた。先述の通り、鹿の角によって木の皮が食べられてしまうという説明の際、森林管理署の方は傷つけられた木のもとまで急な山を駆け上がっていった。その様子を見て、自分も木を調べにいった生徒の一人が森林管理署の人の装備や仕事ぶりに興味を示した。質問は森林管理署の方の服装の話に始まり、森林管理署の仕事の内容について質問をしていた。

４．天城の自然にふれる生徒の様子

　天城山は日本百名山の一つである。天城登山では地域の環境問題を知るだけでなく、天城の豊かな自然に触れることができる。学習をしながら山道を登ると、途中で辺りを見渡せる開けた場所にでる。そこからは、辺りの町や山々を見下ろせるだけでなく、遠く太平洋を一望できる。「やっほー！」と叫んでこだまする声にはしゃいでいる生徒もいれば、「すげー…。」とつぶやいてじっくりと景色を眺める生徒もいた。筆者が「この景色を見てどう感じるかい？」と問いかけると、「これは大切にしたいです。」と

いう答えや、「自分の子どもにも見せてあげたい」と答える生徒もいた。また、天城登山の目的地であり、「伊豆の瞳」と呼ばれる天城山の火口湖（現在は断層でできた湖と考えられている）の「八丁池」にも立ち寄る。天城山は年間を通して降水量が多いため、一年を通して八丁池は枯れることがなく、天然記念物のモリアオガエルが生息するなど貴重な自然が残されている。天城登山の中間地点でもあり、休日にはハイキングに来た人たちの憩いの場所にもなる。この日も、数人のハイカーが八丁池で休憩をとっていた。生徒たちが食事をとったのもこの八丁池である。

1-2 宿泊施設での観察の記録

宿泊施設では、生徒同士で協力して飯盒炊爨でご飯を用意し、鹿肉を使ったカレーを作って夕食をとった。また、NPO法人天城子どもネットワークの方によるネイチャーゲームや自然ふれあい活動を通して、天城の自然に親しみながら学習をおこなった。

１．鹿肉のカレー作り

宿泊はあまぎふるさと公園の体育館を借りた。宿泊施設に着くと、生徒たちはその後の予定を確認し、施設の掃除をしたのち、夕食作りに取り掛かった。夕食のメニューは鹿肉のカレーである。第２章で紹介したイズシカ問屋で処理された鹿肉を使用していた。Ａ中学校の周辺地域は鹿の食害に悩まされており、その打開策として鹿肉を食用販売が開始された。「食」という手段で自

然と人間の共存を考えた取り組みであり、鹿肉を食べることは
「持続可能な社会」の在り方を体験することでもある。また、鹿
肉の販売は地域の新しい産業としても期待され、広く県外からも
注目されている。地域の産業の未来を考えるといった意味でも、
鹿肉を実際に食してみることは価値のある体験である。カレー作
りはいくつかのグループに分かれて行われた。グループごとに、
火を起こす係や米をとぐ係、野菜や肉を切る係に分かれて食事の
支度をした。鹿肉について生徒にインタビューの内容を文字に起
こしたものを以下にまとめた。（文字起こしは省略）

　生徒ＡとＤは今回初めて鹿肉を食べた。著者も今回の体験で初め
て鹿肉を食べた。生徒Ｂは家でときどき鹿肉を使った料理がでて
くるようであった。生徒Ｃは父親につれていってもらった居酒屋
で鹿肉を食べたことがあるようで、文字起こしで載せた以外にも
鹿肉の魅力についてたくさん話を聞かせてくれた。他の生徒にも
鹿肉を調理した感想を聞いてみると「臭くないから普通のお肉と
変わらない」「けっこう美味しい」など、多くの生徒に好評であ
った。また、鹿肉と地域の産業についてもインタビューを試みた
が、中学一年生の段階では、なかなか食用の鹿肉が普及すること
で地域の抱える問題の解決や人間と自然の共生といった点を意識
している生徒はいなかった。

２．ネイチャーゲーム

食事を済ませ、夜になるとNPO法人天城子どもネットワーク（以下、子どもネット）の方によるネイチャーゲームが行われた。ネイチャーゲームは、「夜の森を楽しもう」というテーマで行われた。それぞれが懐中電灯をもっていたが、明かりのほとんどない"夜の森"のなかでゲームが行われた。「フクロウとカラス」という名の鬼ごっこのような遊びをしたり、夜の森に住む虫を探したり、だるまさんが転んだに似た遊びをするなど、生徒たちは子どもネットの方が用意したさまざまなネイチャーゲームを楽しんだ。ゲームを終えた後、数人の生徒に行ったインタビューの内容の一部を文字に起こしたものを以下にまとめた。（文字起こしは省略）

　静岡県の伊豆地方は比較的に暖かい土地だが、10月の天城山はかなり冷え込んでおり、この日は天気も晴天であったため肌に刺さるような寒さであった。しかし、生徒たちは鬼ごっこで遊ぶうちに体も暖まったようで、寒くて動けなくなるような生徒はひとりもいなかった。夜の森の虫探しでは、「この虫はいつも見ているけど、夜に見るとなんか違う」と日常生活では見ることのない夜の森に住む虫の世界に生徒たちは興味津々であった。だるまさんが転んだでは、「物音を立てずに進まなければならない」と特別ルールがもうけられた。自然の音しか聞こえない天城の山の中であったことに加え、「物音を立ててはならない」というルールの効果で梟の声や虫の音など、自然の音を肌で感じたようであ

る。ゲームを終えると、生徒たちは地面に寝そべって夜空の星を観察した。ガイドさんの星座についての解説を聴いたり、流れ星の数を数えたりしながら満点の星空を眺めていた。

3．反省会の様子

　ネイチャーゲームを終えると、就寝前に各班の代表が集まって反省会が行われた。反省会では、その日一日の活動を振り返って班長から反省点と改善点があげられた。形だけの反省会ではなく、真剣な様子で意見がだされていた。班長の発表も一人一回と言わずに、どの班の班長も積極的に意見をだしていた。発表された内容はそれぞれがノートにメモを取り、反省会が終わったのちに各班の班員に伝達された。

　反省会後にA中学校の教員に話を聞くと、反省会などの集まりでは班長全員が必ず発表することが原則となっていると聞いた。また、「会の運営は教師主導ではなく、可能な限り生徒主体で行うように指導をしている。」「教師はコーディネーターであり、活動を考え、実行するのは生徒」「もっと委員会、班長のリーダーシップがほしい」「理想は、教師の役目まで生徒がこなせる、そこまで目指してほしい」と話していた。

4．自然ふれあい活動

　朝の一回目のネイチャーゲームは生徒自身が考えたゲームを楽しんだ。内容はそれぞれの班で天城の自然の風景を写真に撮るとい

うもので、後にどの写真が一番良いかコンテストが行われるという。コンテストの際に使う額縁（生徒の手作りで秋がテーマの飾りが施されていた）を手に、額縁越しに景色を覗きながら気に入った景色を探していた。

　二回目のネイチャーゲームは、昨日と同様に子どもネットの方と一緒に行った。まず、「音の地図作り」では、宿泊施設から少し離れた森の奥まで入り、森の中で５分間音を聞いた後に、小さな画用紙に「音の地図」を作った。画用紙の中心に自分を描き、周りの様子を自由に描くというものである。なかには、より集中して音を聞くために少し離れた林の中で瞑想するように周囲の音に聞き入っている生徒もいた。生徒の作った音の地図は、周囲の音を絵で表現したものもあれば、模様や記号で表すなど、それぞれが個性あふれる表現方法で音の地図を作っていた。次に行われたのは、ビンゴゲームであった。16マスのビンゴのマスに、この森にありそうな、物を自分たちで予想して書いていく。その後、生徒たちは森のなかを散策しながらそのビンゴを埋めていくというゲームである。散策をするうちに、生徒たちはトカゲを見つけたり、鳥の巣を見つけたり、シカの糞を見つけてくる者もいた。その他にも、子どもネットの方の語りを聞いたり、自分のお気に入りの木を見つけてその木に名前をつけて詩を作ったりするなど、自然に親しむさまざまな遊びが続いた。

5．学習のつながり

　自然体験学習は ESD の実践のなかでも環境教育が主題となっているが、学校全体の他の ESD の取り組みともつながっていた。二年生になると、地域のさまざまな仕事を体験的に学習する職場体験学習がはじまる。そのなかで、地域のお弁当屋に職場体験にいった二年生が、お弁当屋での職場体験の一環として一年生の自然体験学習の朝食を準備してくれていたのである。朝食をとりながら生徒たちに感想を聞いてみると、「先輩が作ってくれたと思うと、なんかすげー嬉しい」「感謝して食べようって気持ちになるね」など、感謝の気持ちを抱いた生徒もいれば、「俺も来年はこれ（お弁当屋さんの職場体験）にしようかな」と来年の職場体験について関心を持った生徒もいた。また、ゴミの分別は徹底していた。生徒たちは分別させられるのではなく自然な様子でゴミの分別をおこなっていた。著者が「みんな手馴れているね」 と声をかけると、「分別は学校でいつもやっているので」と答えてくれた。「どれをどこに分別したらいいか迷うことはない？」と聞くと、「捨てるものと、再利用するものはどれかとか、食べながら考えるから、捨てるときにはだいたいいけます」と答えた生徒もいた。

6．学習に対する生徒の声

　自然体験学習を一通り終えたところ、生徒数人に対して「天城の

環境問題についてどう考えているか」と「天城の自然についてどう感じたか」の２点についてインタビューを行った。インタビューの内容の一部を文字に起こしたものを以下にまとめた。

（文字起こしは省略）

インタビューの結果、「天城の環境問題についてどう考えているか」の質問については、鹿の食害の問題についての回答が多く見られた。また、「どうしたら解決できると思うか」という問いには、分からないと答える者も多かったが、自分たちの作ったカレーのように食べることに解決の糸口を感じている生徒は多かったようだ。次に「天城の自然についてどう感じたか」の質問には、「楽しかった」という回答が最も多かった。また、「今まで気づかなかった地域の自然の良さに気づいた」と答えた生徒も同様に多かった。インタビューの文字起こしにあげた生徒Bのように、普段は当たり前に思っていた地域の自然に対して、環境学習やネイチャーゲームを通じて深く関わることで新しい良さを発見できた生徒は多かったようである。

第３節 グループインタビューの記録と分析

グループインタビューは、先述の通り A 中学校の三年生の生徒11 名（男子７名、女子４名）を対象に行った。インタビュー内容は手書きのメモとボイスレコーダーに記録し、後に文字起こし

をしてまとめた。生徒の発言のなかで注目したトピックごとに部分を抜き出し分析していく。 **（文字起こしは省略）**

3-1 鹿の食害について

　三年間の ESD の学習のなかで印象に残っていることを聞くと、最初に出てきた答えは鹿柵の設置であった。鹿の食害が地域の抱える問題であることや、それを解決するために地域のたくさんの人が取り組みをしていることを、三年間を通じて学習する。そのなかでも実際に鹿の食害対策の柵の設置は大変な作業で、時期も 11 月という寒い時期であったことなどから印象に残っていたようである。また、卒業後も鹿柵の様子が気になると答えた生徒は 11 人中9人。気にならないと答えた2人は、将来は都会に住みたいからあまり気にならないと答えた。しかし、鹿柵を張って食害がどのくらい抑えられるか気になっている一方で、柵を立てるという重労働は嫌だと思っている生徒は男子 C だけではないようであった。男子 C は笑いを誘うために「鹿を食べる」と口にしたのかもしれないが、その場の生徒全員がその意見には大いに賛成していた。それぞれが、自分にできることで地域の問題に関わり続けようという意識を持っているようであった。

3-2 修学旅行について　　　　　　（文字起こしは省略）

　修学旅行はそれぞれが関心のあるテーマに分かれて、班別で行動したという。修学旅行 は「2020 年夢天城〜10 年後、天城の魅力

を持続・発展しよう〜」をテーマに、京都・奈良 をモデル都市としてその魅力を探ると共に、天城の魅力や課題を新たに発見し、今後の地域の持続発展を見据えた提言を行うという学習内容になっている。男子 A は地域の観光業とモデル都市の観光業を比較したようだが、「最初は面白い施設とか立てればいと思ったが、調べて行ったらそれだけじゃダメだと感じた」と話していた。一方、女子 D は「具体的な将来の様子が見えた」と述べ、「若い人が土地に残って自分の町は自分で守る」ことが大切 だと語った。男子 A の発言にも、女子 D の発言にも、地域を愛する気持ちがある一方で、地域の抱える現状を知り、ジレンマを抱えている様子がうかがえる。

3-3 職場体験学習 　　　　　　（文字起こしは省略）

　インタビューを行ったのが高校受験の終わった 3 月中旬であったためか、自分の将来の話や職業体験学習の話に関して、生徒たちはたくさんの話を聞かせてくれた。

　病院へ職業体験にいった男子 B は、職場体験学習における利用者さんとのふれあいを通じて、理学療法士になりたいと感じていた。そこで「人と接するむずかしさを感じた」という。言葉ではうまく説明できないようであったが、その体験が男子 B に将来の夢を抱かせる大きなきっかけとなったことは間違いない。文字起こしの資料にはあげていないが、彼は二年生の職場体験学習で理

学療法士になることを強く決意し、修学旅行でも京都のデイサービスセンターを訪問し、施設の方や利用者にインタビュー調査を行っている。男子Dが職場体験行ったのはシイタケ農家であった。「シイタケを育てるだけ」そう思っていた仕事に想像以上の奥深さがあったと男子Dは聞かせてくれた。また、男子Dの将来の夢は、チームドクターという医療面からスポーツ選手をサポートする仕事に就きたいというものであった。「選手は無理だが、サッカーとは関わっていきたい」「そういう役割（医療から選手をサポート）も必要だと考えた」ということが理由だと話していた。一年の自然体験学習で二年の職場体験学習で作られたお弁当が朝食として出されたことは先述の通りであるが、そのお弁当屋へ職場体験学習にいったのが男子Cであった。男子Cは、普段あまり衛生面に気を付けていないが、お弁当屋の仕事では衛生面にとても気を使ったと話していた。生徒を職場体験に受け入れる地域の人にとっても、生徒の仕事ぶりが自分たちの仕事の評価に関わってくるため、真剣な指導が行われたのだと予想される。男子Cは職場体験を通じて、「信用」が仕事においていかに大切なのかを語ってくれた。そんな彼は高校で機械科に進み、機械を作る仕事に就きたいと話していた。まだ迷っている生徒も、高校、大学へと進む中で見つけていきたいと話していた。

第5章　ESD による生徒の変容とその成果

　ESD を始めてすぐ感じたことは生徒が明るく元気に満ちてきたことだ。このことは、ESD に取り組んでいるどの学校でも聞かれる。なぜ ESD に取り組むと子どもたちが元気になり自信に満ちてくるのかは後で考察する事として、ここでは、ESD に取り組む事で見られた生徒の変容やその成果をいくつか取り上げたい。

5-1　1 枚の写真から募金活動に発展

　私が朝礼で、イースター島の物語を PPT で提示しながら森林破壊により一つの文明が滅びた話しをしたり、「トランクの中の日本」という本から「焼き場に立つ少年」の写真を見せながら戦争の悲惨さについて考えたりした頃だった。当時、生徒会長になった女子生徒が私のところやってきて 1 枚の写真を見せてくれた。それは、スーダンで撮影された「ハゲワシと少女」*27 という有名な写真で、かつて私も衝撃を受けたものだった。（食料配給所付近で動けなくなってうずくまっている少女の近くにハゲワシが舞い降りてじっと少女の方を見ている写真。報道写真家ケビン・カーターが撮影したもので、当時アフリカの惨状を象徴する写真として有名になりピューリッツァー賞を取ったが、わずか 3 ヶ月後に彼は自殺している。）その衝撃的な写真を見て彼女も心を動かされたらしく、生徒会でアフリカの支援のために募金をしたいということだった。もちろん喜んで許可し応援

した。その後、自分たちで関係機関に連絡し、毎朝昇降口で写真を見せて現状を訴えながらの募金活動が始まった。1枚の写真が生徒の心を動かし行動に結びついた例だった。

5-2 地区の英語弁論大会で優勝し高円宮杯関東大会へ

　2011年3月11日天城中学校では全校生徒が体育館に集まり3年生を送る会が行われていた。突然の大きな揺れがやってきて古い体育館の窓や扉がガタガタと振動し天井から吊された照明が大きく揺れた。とっさに、上を見上げ頭を保護するように指示し、耐震工事を済ませたばかりだから揺れがおさまるのを待って落ち着いて行動するように話したことを思い出す。後に名付けられた東日本大震災だった。後で校内を点検したとき何の被害もなかったので安心したが、グランドに出て見た時に驚いた。グランドの一部に大きな地割れができていたからだ。

　この時2年生だった森島由衣さんが、家のTVで自ら被災しながらも献身的に被災者の看護に当たっている看護師の姿を見て、自分も将来は看護師になって困っている人のために働きたいと決意した。そして、3年生の時そのことを作文に書き英語の弁論大会で発表するチャンスを得た。地区大会で優勝し県大会では3位に入賞して高円宮杯関東地区大会出場の快挙を成し遂げた。彼女は、帰国子女でもないし、特別に英語を習っているわけでもなか

ったが、ALT による指導はもちろんの事その内容（コンテンツ）が良いという評価で大会出場を果たした。（以下由衣さんの日本語原稿）

「夢」に向かって

伊豆市立天城中学校3年　森島　由衣

　3月11日、その日私はテレビから流れてくる映像に目を疑い、言葉を失いました。次々と伝えられてくる報道に目が離せなくなると同時に、私の心は恐怖でいっぱいになりました。

　東日本大震災が起きたあの日から、日本中が深い悲しみに包まれました。誰もが当たり前のように迎えるはずだった明日なのに、被災者のみなさんは、未来が一瞬にして暗くなり、先の見えない不安につぶされそうになったことでしょう。しかし、助け合い、支え合いながら、避難所で身を寄せ合っている被災者の方々の復興、復旧への思いは強く、立ち上がっていく力強さもまた、報道で知ることができました。そんな中、私は、自らも被災者でありながら、看護師の経験をフルに活かし、被災者の方達をお世話している女性の姿をテレビで見ました。彼女は、自分の家族や家を津波で失い、悲しみのどん底を経験しながらも、被災地の住民や患者さんへのケアを提供していました。まさに、使命感を持って、ご本人が感じる悲しみを紛らしているかのように動き回っ

ていました。私はその姿に感動しその行為の尊さを感じました。そして私も何かしたいと思いました。きっと私だけでなく、日本中の人々が心を動かされたことだろうと思いました。このような一人ひとりの活動が、少しずつ伝わって、多くの人々の心を動かし、人から人へ復興、復旧のための支援の輪が広がりつつあるのだと思います。

今、人々の優しさがダンボール箱に詰め込まれ、支援物資として東北へ送られています。私の通っている中学校でも、支援活動を行いました。私の学校は持続可能な社会の実現に向けてＥＳＤに取り組んでいます。ユネスコスクールの加盟学校でもあり、生徒会を中心に活動しています。今回の災害でも、日本の平和な社会を持続させるという意味で、何かをしなければならないと思いました。私達の学校では、被災したユネスコスクールの状況をネットで知り文房具と使用済みランドセルを寄付することになりました。私も、小学校六年間背負っていた、思い出の多いピンクのランドセルと文房具を寄付させてもらいました。この時私は、思い出の品を手放す寂しさも味わっていました。私たちのこのボランティア活動は、新聞に掲載されたため、多くの人にＥＳＤを推進している学校であるということを伝えることができました。その結果、活動を知った他の中学校からも、一緒に物資を送ってくださいと、ランドセルや文房具が届きました。この時、人の優し

さがつながっていく輪を感じとることができ、とても嬉しく思いました。

　今回の震災をうけ、私の夢はやはり看護師になりたいのだとはっきりしました。今思えば二年生の時の職場体験が私の考えの土台になっています。私は病院を体験場所に選び、患者さんから、「ありがとう。」という言葉をたくさんもらい、とても嬉しかったという思いが強く心に残っています。看護師さんたちは、毎日目が回るほど忙しく、緊張感を持って、仕事をしていました。そんな中でも患者さんとは同じ目線に立ち、優しい目で語りかけ、話を聞いていました。そうすると患者さんは笑顔になり、元気をもらっているようでした。私自身、小さい頃は何度か入院経験があり、看護師さんの笑顔にとても安心させられ、元気をもらいました。今でも毎月のように通院をしていますが、小さい頃、よくお世話になった小児科の看護師さんは、私を見つけると、「ゆいちゃん、大きくなったね。」と笑顔で声をかけてくれます。そんな言葉に私も笑顔になります。こんな時、私は看護師さんに、大きな信頼を寄せていることに気がつきます。今度は私が誰かの役に立ちたい。私はそう考えています。元気や勇気を与えることができ、笑顔で話すことができる、そして患者さんの目線に合わすこともできる、そんな欲張りな看護師になりたいです。今はその夢に向かって、まずは目の前にある課題を一つ一つ終わらせてい

くことが大切だと思います。いつの日か、その夢を叶えることができたとき、私は被災地で活躍する看護師さんに近づくことができると思います。職場体験でお世話になった看護師さんに近づくことができると思います。小さい頃からお世話になり続けた看護師さんに恩返しをすることができると思います。いつの日か私の力が、周りの人に伝わり、世の中を少しずつ変えていける人間になりたいと思うのです。理想とする看護師になる日を夢見て、今回の東日本大震災のことを忘れることなく、これから一歩ずつ進んでいきたいと思います。

　作文の中にも書かれているように、由衣さんが将来の夢を見つけるまでには、幼い頃からの経験と中学校の総合の時間でESDの理念の基に積み重ねてきた福祉体験、職場体験が影響し、東日本大震災での看護師の献身的な姿がきっかけとなっている。

　彼女は、中学校卒業後自分の夢を追うために私立高校に進学しその後、国際医療福祉大学に進学し2019年に卒業した。今は、千葉県の総合病院で看護師として働き夢を叶えている。現在、コロナと闘いながら患者さんのために献身的に働いている。中学校で学んだESDの理念を基に自分の将来の夢を見つけ「持続可能な社会の担い手」として成長している姿を見るとESDに取り組んで良かったとつくづく思う。（**以下は、由衣さんの英語のスピーチ原稿。**）

My Dream

Amagi J.H.S 3rd grade

Yui Morishima

March 11th, 2011— I was lost for words, and could not believe my eyes. And I couldn't look away as the images flashed across the TV screen, and at the same time, my heart filled with dread. The Great Earthquake of Eastern Japan has filled the rest of the country with a deep sadness. Everyone could have had tomorrow as usual. But the victims' futures became dark at once, and now they feel crushed with worries. However, from the reports we can know that even with the victims in shelters now, through helping and supporting each other, the will to rebuild is strong.

I watched one victim on TV. She has used her full experience as a nurse to look after the victims of this disaster. At the same time, she felt the worst sadness because she lost her family and her home from the tsunami. She was working hard, and trying to replace her sadness with duty. I was moved by her honorable actions. I thought, "I want to do something, too." Not only I, but all the people of Japan were inspired to help, I think. One by one, little by little, actions like hers can inspire many many people. In this way, our circle of support will grow and we can rebuild. Even now, people are filling boxes with kind gifts and sending them to Tohoku to help. My school also has sent care packages already. My school has an ESD program to realize a society with sustainable development, and we are a UNESCO school. To keep our peaceful society in Japan, I thought, "I have to do something to help this disaster." Our school got information about other UNESCO schools in the disaster area by e-mail, and we decided to give school goods and used school bags to them. I myself gave a pink school bag which I have used for six years, and which had a lot of good memories from my elementary school. At that time, I felt sad to give away part of my memories. But many people knew about our school's actions, because newspapers wrote about us. Because of that, other schools asked if they could help by sending their school goods and bags in our boxes. At this time, I felt the circle of kindness growing, and I was really glad. From this disaster, I realized my dream is to be a nurse.

Last year I experienced working at a hospital. At that time I was glad to hear many "Thank you's" from the patients. I remember their smiles. The nurses are really busy all day but they must keep their focus and work hard. Even though they are so busy, they take the time to talk kindly with each patient and listen carefully. Because of this, I saw patients become happy and look healthier. When I went to the hospital as a child, I remember feeling happier after seeing nurses smiles. Even now, I go to the hospital almost every month. When the nurse who has cared for me sees me, she always says to me, "Hi ,Yui! Oh, you've gotten so big," with a smile. Hearing that always brightens my day, and makes me feel trust in her and all nurses. This makes me want to help others. I want to put smiles on patients faces, talk with them as equals, and see them become healthy. Now, for my dreams to come true, I must clear the hurdles in front of me one by one. Someday when I do, I hope to be like the nurses of this disaster. I also hope to be like the nurses I looked up to from my hospital. By doing so, I think I can return the favors I received as a child. Someday, I hope my actions will influence others and make the world a better place. So, I will go forward from today, always keeping in mind my dream to be a nurse, and never forgetting the Tohoku Disaster. Thank you.

5-3 東日本大震災で被災した学校支援のために生徒が行動

　東日本大震災後、ユネスコスクールのメーリングリストを通じて、「これから学校を再開しようとしているが、子どもたちの学用品がすべて流されてしまい、鉛筆や消しゴム・ノートなどを始めランドセルも足りない状況なので支援して欲しい。」というメールが届いた。天城中で ESD を始めるに当たって、宮城教育大学や気仙沼の面瀬中・鹿折中を視察するなど大変お世話になっていたので、真っ先に朝礼で生徒にそのメールを紹介した。すると、由衣さんの作文の中にもあったように当時の生徒会長が立ち上がり、生徒会を中心にしてすぐに支援することが決まった。同じ市内の学校にも協力を呼びかけるとそのことが静岡新聞にも取り上げられたため伊豆市以外の市・町からも支援物資が届き、あっという間に支援物資が集まった。生徒の意識の中には、同じユネスコスクールの仲間という意識が確かに芽生えていた。中には大切に使ってきた想い出のランドセルを送った生徒もいた。（図 5-1）

図 5-1

5-4 生徒の中から生まれた「ツゲ峠鹿柵プロジェクト」

　ESD を始めて 3 年目、当時の 3 年生（この生徒たちが 3 年間を通して ESD の考え方を学んできた）が 3 年間の「天城学習」で体験を通して学んだことの中で、一番気にかけたことは鹿の食害により天城の自然が持続不可能になってきている現状だった。この食害を何とかしなければ天城の素晴らしい自然がこの先失われてしまうかもしれない。「森のダム」とも言われているブナが枯れて倒れると日当たりの良い大きな空間ができる。すると、木の回りに落ちたたくさんの種子が実生となりやがて大きなブナの大木に成長し天城の山の自然が循環するのが本来の自然の姿である。ところが、その実生や幼木の葉を鹿が食べてしまうと次世代のブナが育たなくなってしまう。このまま放っておくと下草もなくなり、やがて土壌流失が始まり、土砂崩れのような災害も起きてしまう。「森のダム」と言われるブナが減り山の保水力が失われると、大雨による水害が増え、豊かに流れる狩野川の水量も減ってしまう。というような、自然界の**つながり**を学んだ生徒は、自分たちの力で何とかできないだろうかという思いを強めていった。そして、ブナの実生を育ててある程度大きくなったブナの木を天城の山に植林したいと言い出した。そのことを伊豆森林管理署の方に相談すると天然林の保護のため、人が自然に手を加えることはできないと断られてしまった。しかし、鹿の食害を調査するた

めの鹿防護柵を立てる許可だったら取れるので、鹿柵を立ててみ
ないかという提案があった。その結果、ブナの植林をしたいと言
う生徒の思いが、「ツゲ峠鹿柵プロジェクト」という形で結実し
ていった。これは、正に予定調和的なプロジェクトではなく指導
者側も予測していなかった行動につながった例だ。（図5-2）

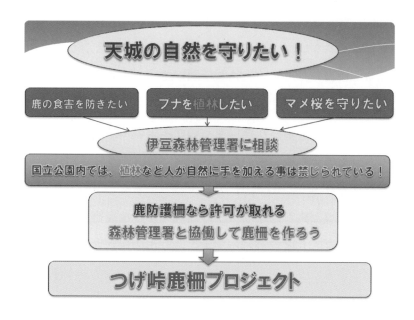

図 5-2

　鹿柵を立てる場所は伊豆森林管理署の調査で被害のひどいツゲ
峠に決まり、事前にその場所を管理署の職員と教員で下見に行っ
た。行ってみると山の尾根にあるブナの大木が何本も立ち枯れ、
枝が落ちたり幹が折れたりしてブナの墓場のような荒れ果てた状

況だった。下草もほとんど無く、コケで覆われた部分以外は土壌がむき出しになっていた。名前の由来であるツゲの木は背丈が小さく、葉が鹿によって短く刈り込まれ、盆栽のようになって数本残っているだけだった。これでは、ブナの種子から実生が生えても元の大木のようには大きく育たないことが予想できた。このまま行くと、大雨によって尾根から土砂が流れ出し災害になりかねない。果たしてこの場所に鹿柵を設置して本当に植生が元の状態のように回復するのだろうか疑問に思った。（図5-3）

図5-3　調査登山の時のツゲ峠（立ち枯れたブナの木が見える）2011年4月

当時、森林管理署に勤務し、森林普及活動を担当していた可知のどかさんに「ツゲ峠鹿柵プロジェクト」が立ち上がった頃の様子を書いていただいたので以下に掲載する。

天城中学校と伊豆森林管理署との鹿柵プロジェクト

元伊豆森林管理署　森林ふれあい係長　可知のどか

　伊豆森林管理署は、伊豆半島の真ん中にある天城山系を中心とした国有林を管理している組織です。国有林や森林のことを多くの人に知ってもらうための普及活動も行っています。当時、私はその森林普及活動を行う担当で、地元の小中学校へ出向いて国有林や森林の話をする「森林教室」を積極的に行っていました。

　その１か所として、天城中学校からも森林教室の依頼をいただき、学校に出向いて森林の話をさせてもらいました。その中で、天城山の現状についても触れ、天城山には鹿がたくさんいて様々な植物が食害にあっている、ということを伝えました。

　その森林教室の話を聞いた天城中学校の生徒たちから、「鹿の食害から天城の森を守るために何か活動したい」という感想が寄せられました。始めは、「森のダムと言われているブナを植林したい」という相談が持ち掛けられました。ちょうどそのころ、中伊豆地区の皮子平というところでは、マメザクラを再生するプロジェクトが進んでおり、中伊豆中学校でマメザクラを育てている

ところでした。そのことを森林教室の中で話題にしたため、天城中学校ではブナを植林したい、という考えに繋がったのではないか思います。しかし、ブナの森は「天然林」であり、人が植えて作った森ではないため植樹することは難しい、ということを伝えました。（皮子平のマメザクラは固有種であるため、それが絶滅しては困るということで、特例として育てていましたが、マメザクラも基本は植えずに自然のままの再生を促すような活動を行っていたところでした。）そして、鹿の食害が原因であるならば、まず鹿柵で囲ってみて植物の様子がどうなるかを観察するのが先ではないか、という話をして、鹿柵をみんなで設置しよう、ということになりました。

　森林管理署は、人工林の手入れをする仕事がほとんどで、天然林に手を加えることはあまりないのですが、中学生からの要望が強くあったため、何とか協力して一緒にやりたいと考え、上司に相談し、鹿柵設置プロジェクトを進められることとなりました。まず、ブナの枯れが最も目立っているつげ峠に鹿柵の設置をしたいと考えていたため、つげ峠に中学校の先生方、地元のボランティアの方々、伊豆森林管理署の職員で下見に行きました。そして、どこに鹿柵を設置すればよいかを検討しました。鹿柵の材料については、地元からの要望があったことと、保護林を維持するために必要ということで予算要求をし、鹿柵を購入することがで

きました。職場の異動に伴い、私が関わることができたのはここまででしたが、その後、伊豆森林管理署にいた鳴川業務課長、木皿流域管理調整官が中心となり、天城中学校、地元ボランティアの皆さんと協力して、無事、つげ峠に鹿柵の設置をすることができたということでした。

　森林管理署の職員は、転勤があり、数年に一度入れ替わってしまいます。しかし地元の人はずっと地元の山を大切に思い、その場で暮らしている人たちです。地元の方々がマメザクラやブナの衰退を危惧し、何とか守っていきたい、と森林管理署に投げかけてきてくれたことを受け止め、それを実践できたことは、伊豆森林管理署にとっても、大きな意味があったと感じています。

　森林管理署は自分たちの山（国有林）を自分たち（国有林職員）が整備している、という感覚で山の管理をしていることが多く、地元の要望を全面的に受け入れてそれを山の管理に反映させることがなかなか難しい組織だと感じていました。人工林ならともかく、天然林に手を加えるという行為は、特に署内での理解を得ることが大変なことでした。しかし、国有林は、国民みんなの山です。地元の要望を取り入れてこその国有林である、と私は思っています。今回のプロジェクトでそのことが実現でき、私自身の伊豆森林管理署での役割が達成できたかな、と感じられた活動となりました。

地元の方々と一緒に実践することにより、森林管理署の職員が交代しても、プロジェクトがずっと続けていけるのではないかと思っています。木の成長は人間の成長よりも長い年月がかかります。それを見守っていけるのは地元に住み続けている地元の人にしかできません。中学生が鹿柵を設置して、それを中学校として観察し続けていってくれれば、何かしらの変化が見え、その次のステップが見えてくるのだろうと思います。

　鹿柵を設置してから、もうすぐ10年が経とうとしています。当時の中学生は、もう大人になっているということですね。あのときの体験が少しでも何かにつながっている生徒がいてくれたらとても嬉しいです。つげ峠を始めとした天城の山は今どうなっているのか、天城中学校の生徒たちは観察を続けてくれているのか、気になるところです。幸いなことに、今でもこうして大塚先生から連絡をいただけてつながりがあること、とても幸せに感じています。またいつの日か、天城の山に様子を見に行けたらいいな、と思いを馳せながら、信州伊那の地で3人の子育てをしながら過ごしています。

当時の3年の生徒は、学校の中庭で鹿柵設置の業者から柵の立て方を実際に教わってからツゲ峠へ向かった。2011年10月19日、風が強く凍えるような寒さの中、3年生64人と伊豆森林管理署の職員、天城自然ガイドクラブのメンバーと設置業者、3年部の教職員が協働して支柱やネットなどの資材を運び上げ、ツゲ峠に高さ1.2m周囲50mの鹿柵を2カ所に設置した。（図5-4）

専門家に教わりながら
鹿の防護柵を組み立てました

つげ峠に鹿柵設置 完了！

活動が新聞に掲載されました

伊豆日日新聞
2011.10.20

図5-4

10月の寒い中、3年生にとっては受験を控えた大切な時期にもかかわらず「ツゲ峠鹿柵プロジェクト」が達成できたのは当時の生徒の主体的な思いが、森林管理署の職員・天城自然ガイドクラブの方・鹿柵設置業者・親やその他大勢の関わってくださった方に伝わり、学校職員も含めて全員が同じ思いを共有して動いたからに他ならない。生徒は、地元の新聞に一面で取り上げられて、思いが叶うと同時に努力が認められた達成感に満たされた。しかし、このプロジェクトは鹿柵を立てるのが目的ではない。鹿の食害が天城の自然を持続不可能にしていることを心配して、ブナの苗木を植林したいという思いから始まった。そこで、鹿柵を立てた3年生は、その思いを下級生に託した。つまり、鹿柵の中と外とでどのような植生の変化が見られるのか調査し、そこから得られた結果を生かして次の一歩をどう踏み出し、本来の目的である天城の自然を守る（持続可能にする）という成果を導きだすかが問われている。2019年現在、毎年生徒の有志が夏休みを使って森林管理署の職員と共に調査登山を続けている。(**図5-5**)調査方法はコドラート法を使って鹿柵の内と外での植生を調査している。私も退職後、毎年同行しているが驚くような変化が見られ、天城山一帯では見られなくなったスズタケも再生し、樹木の中には中学生の背丈を優に超えるまで成長した木も見られるようになった。もちろん、ブナも実生から大きく成長したが、ブナは成長速度が遅

く、10年経っても大きいものでも60cm程度で、この程度の高さで
は鹿柵がなくなればすぐに鹿に葉を食べられてしまい枯れてしま
うだろう。また、驚いたことに、柵の至る所におそらく鹿が鼻先
を突っ込んで広げたと見られる穴が見つかり、柵の近くのササの
葉が食いちぎられて茎だけになっている場所がいくつも見られる
ようになった。鹿にとっては、目の前にあるご馳走の山に何とか
ありつこうとして硬い金網を角や鼻先で広げたのだろう。(図5-6)

2011.10.19 鹿柵設置当時の様子

(柵の中はコケ以外の植物は見られない)

2017.7.27 調査登山の時の様子

(6年後、柵の中と外とでは大きく違う)

2013.7.24 の調査の様子

2017.7.27 の調査の様子

図5-5

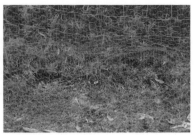

図5-6　2016.9.16の調査で見つかった鹿柵の穴と柵内のササが食べられている様子

※　この調査に参加した生徒は以下の様な感想を語っていた。

- 一年間で10センチメートルくらい伸びていてとても驚いた。
- シカ柵の外と中の植生の違いは明らかで、柵の効果の大きさに驚いた。
- シカ柵の中には、皮子平では枯れてしまったマメザクラなどの希少な植物があって、このシカ柵内の姿が本来の天城の姿なのだなと思った。
- シカ柵の下の方には穴が開いていて、そこから柵の中の植物が食べられていた。柵という状況に対応してしまうシカの存在は怖いなと思った。

↓

- シカ柵が森の植生を保つために役立っていることは確かなことなので、これからもこの調査を続けて、天城の森のためにほかに何ができるのか、天中が統合されていく中で、卒業生や、小学生などがこの活動を続けていかなければいけないと思った。

このプロジェクトは現在も続いている。柵の効果は明らかで、次の一歩をどのように踏み出すかは現在の生徒に委ねられている。しかし、在校生だけではなかなか次の一歩が踏み出せないのが現状で、鹿柵を作った当時の生徒（現在社会人になっている）や森林管理署の方、当時お世話になった方を交えての話し合いができたらと願っている。しかも、5年後には市内の3中学校が合併し新中学校になることが決まっている。残念なことに、このような学びが継続出来るかどうかが疑問だが、現在の中学生がこの問題をどう捉え、どのように対処したいと考えるかに期待したい。

　森林管理署の方と冗談交じりに、今この柵を撤去したらどの位植生がもつのだろうと話したこともある。森林管理署によると、剥皮被害に強い樹種については、樹高がディアラインを超えた時点での柵の撤去は可能だと考えているようだ。

5-5 生徒の変容を全国と比較すると

　最近の天城中学校の子どもの状況を全国学力学習状況調査の結果から比較すると以下の様なデータが得られた。

〈 平成29年度全国学力学習状況調査・質問紙調査より 〉

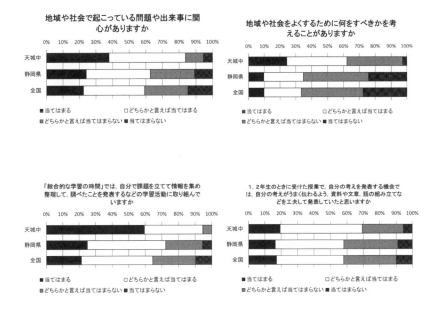

　上記のグラフから分かるように、実践を始めて10年を経過した現在でも「地域社会に対する関心・意欲」の高さが読み取れる。また、総合的な学習の取り組みが全国や静岡県よりもはるかに主体的な学びになっていることが分かる。

第6章　生徒の自尊感情はどのように変化したのか

　ESDに取り組み始めた当初から、ESDの実践の評価（生徒個々の評価ではなく取組そのものの評価）はどのようにしたら良いのだろうと考えていた。ESDを始めたきっかけが「生徒の自尊感情を高めたい」という思いから出発しているので、ESDの取組を通して自尊感情の高まりを示せればよいと考えた。実際、ESDに取り組み始めると、生徒の表情が生き生きとし、どの子も学校生活が主体的なものに変容した。中には自信を持って積極的に行動し始める生徒も現れたのを感じたので、きっと自尊感情や自己肯定感も高まっているのだろうと感じていた。それをどのように評価し数値として実証したら良いか悩んでいた時、「ESD大賞」で表彰されたことをきっかけに、鳴門教育大学の伴先生とつながることができた。「自尊感情」ならばうちの研究室で測定できるという申し出を受け即お願いした。すると、伊豆出身で鳴門教育大の大学院生の横嶋氏を紹介され、彼との共同研究が始まった。彼は自宅を起点に何度も天城中学校に足を運び、教員の研修会や様々な行事・体験活動を生徒と共に体験しながら取材を進め、最後に質問紙による調査を行った。調査は比較対照するために天城中以外に3つの中学校で同じ質問紙を使って行った。（質問紙の調査時期　2012年3月）

〈 調査を行った学校の生徒数 〉

・A中学校　　　　　　　　　　　　195名

・B中学校　　　　　　　　　　　　80名

・C中学校　　　　　　　　　　　　57名

・D中学校　　　　　　　　　　　　325名

　　　　　　　　　　合　計　　657名

回答数　628　（有効回答数　623（99.2%））

　質問紙による調査は、本校の研究仮説を基に「**身近な人や地域との**
つながり」と「**自尊感情**」との関係を探った。この論文の抄録を以下
に紹介する。

中学校における ESD（持続発展教育）が
生徒の自尊感情に与える影響についての実証的研究

人間教育専攻　人間形成コース/2012 度修了　横嶋 敬行

はじめに

　「自分で自分を大切にすること」「自分に自信を持つこと」、
それは生きる力と強く結びつく重要な価値観である。学校教育に
おいても、「自尊感情を育む」という教育目標となって広く教育
のなかに浸透している。

自尊感情（self-esteem）とは研究者によって解釈の違いが若干あるものの、Lawrence（2006）によれば、自己像と理想自己との間の不一致についての個人の評価であり、総合的な自己概念における一つの要素であるとされる。また、遠藤ら（1992）では、人が持っている自尊心（self-respect）、自己受容（self-acceptance）などを含め、自分自身についての感じ方をさし、自己概念と結びついている自己の価値と能力に関する感覚（感情）であるとしている。同様に、自己像と理想自己との間の不一致についての個人の評価を自尊感情と捉える考え方は、多くの研究者によって同様の見解が持たれている（James, 1890 ; Rosenberg, 1965 など）。自己概念と自尊感情の関係性についてのCampbell（1993）の研究では、低い自尊感情をもつ者は、高い自尊感情をもつ者と比較して自己概念が曖昧であることが確認されており、自尊感情と自己概念は密接に関係しあっていることが明らかとなっている。また、自尊感情を高めることで、子どもたちが自分の能力を効果的に発揮し、学業成績や対人関係において良い影響をおよぼすという研究結果は数多く報告されており、教育における自尊感情の育成の重要性は明確なものとなっている。

　本研究の研究協力校である静岡県のA中学校でも、自尊感情を高めるための教育実践に力を入れている。A中学校では、例年「自分に自信がもてない生徒が多い」ことが生徒の実態としてあ

げられてきた。加えて、平成21年度に行われた学力学習状況調査において、「自尊感情」が全国平均を大きく下回っていることが明らかとなったことで、自尊感情の育成が切実な課題として浮彫となった。そこでA中学校が着目したのは、「持続可能な社会をつくる」というキーワードのもとで保護者や地域、その他関連団体が連携し、地域に根差した学習に取り組む持続発展教育（ESD：Education for Sustainable Development）であった。ESDの視点から総合学習を組み直し、学校教育のなかにより広い人間関係やつながりを生み出すことで、自尊感情を養うための豊かな人間形成の場をつくりだそうとしたのである。

　A中学校はESDの視点から教育全体を見直し、「地域での体験や地域の人との"つながり"のなかで、自ら学び、自ら考え、主体的に判断する力を養うことで、地域への誇りをもたせ、生徒の自尊感情を高めることで生きる力を育てる」という教育目標（仮説）のもとで実践に取り組んだ。その一連のESDの教育実践が高い評価を受け、平成22年度10月30日のユネスコスクール全国大会の第一回持続発展教育大賞（ESD大賞）において中学校賞を受賞した。現在では、教育実践を通じてA中学校の生徒の自尊感情がどのような状態となっているのか、ESDを取り入れた教育の効果や成果がどのように表れているのかなど、実践全体の教育評価をおこなわなければならない段階を迎えている。

研究の目的

　本研究では、A中学校の生徒の自尊感情の現状の調査を行うこと、およびA中学校がESDのなかで重視している「人や地域とのつながり」と自尊感情との関連のメカニズムを明らかにすることで、A中学校の教育目標（仮説）の検証を行うことを目的としている。そして、ESDが自尊感情に与える影響を広く考察し、学校教育におけるESDのもつ価値や意義を探求することを研究の目標としている。

ESDの実践について

　A中学校では、ESDの視点からそれまでの総合学習の時間の組み替えを行った。現在では、以下のような流れで総合学習が行われている。

　1年時においては、福祉体験学習と自然体験学習を中心として実践が行われている。福祉体験学習では、地域の福祉施設において体験的な学習をおこなう。デイサービス、介護老人保健施設、老人福祉施設等での体験を通じ、思いやりの心を育て、よりよい生き方や共生の意味を考えていくことをねらいとしている。自然体験学習では、地域の自然環境で体験的な学習をおこなう。天城山の登山を経験することにより身近な自然のすばらしさを実感し、地域の自然の豊かさを知ることをねらいとしている。

2年時においては、自然体験学習と職場体験学習を中心として実践が行われる。自然体験学習は、天城山の縦走を中心としたフィールドでの体験的な学習を通じて、地域のすばらしい自然が持続不可能になりつつあることを学び、環境意識を高め、地域の自然を持続するための方法を考えていくことをねらいとしている。職場体験学習では、地域のさまざまな職場において体験的な学習をおこなう。地域を支える仕事や産業について考え、地域が現在の経済を維持し、持続可能な発展をするためには何が必要なのかを体験的な学習を通じて考えていくことをねらいとしている。

　3年時においては、修学旅行と地域学習を中心として実践が行われる。これまでの学習を通じて地域の良い点や問題点を踏まえ、地域を持続可能な社会にするための提言を行う。修学旅行では、京都・奈良をモデル都市としてその魅力を探ると共に、地域の魅力や課題を新たに発見し、今後の地域の持続発展を見据えた提言を生徒自身で行う。

　実践は地域の様々な団体と連携しながら多くの人々とのつながりのなかで展開されている。また、それらの学習の成果は、保護者や地域の人々を招いて行われる１０月の文化祭や２月の総合学習発表会の場や学校便り、ホームページ、ローカル新聞などによって学外に向けて発信されている。

研究 I

　研究 I では、A 中学校の自尊感情の実態や「人や地域とのつながり」に関する意識、学校生活全般における生活の実態を明らかにするために、A 中学校を含む 4 つの中学校を対象に自由記述式の質問紙調査を行った（2012 年 3 月実施、調査対象生徒数 657 名、回答数 628 名、回収率 99.3%）。

　自尊感情の測定には、10 項目からなる日本語版 Rosenberg 自尊感情尺度(RSES-J)を使用した。「人や地域とのつながり」の測定には、A 中学校の ESD の実践で重視される「人や地域とのつながり」を築くために重要な要素となっているものは、身近な人からほめられる・認められるなどの「他者からの肯定的なフィードバック」と、身近な人や自分の住む地域に対して好意や理解を持つことで生まれる「身近な人や地域への愛着」であると仮定し、20 項目からなる質問項目を作成した。ESD の実践に関する意識の測定には、現場教員の声をもとに 30 項目の質問項目を作成した。また、生徒の意識や態度の実態を広く把握するために、「Benesse 子ども生活実態基本調査」の質問項目を使用した。以上、計 130 項目からなる「中学生の生活と意識に関する調査票」を用いて調査を行った。各項目の妥当性については、専門家である大学教授や中学校教員など 6 名に内容的妥当性の判断を依頼し、質問紙の妥当性が高くなるように努めた。

調査の結果、自尊感情得点に関して、A 中学校と他の中学校の自尊感情得点に差があるかどうかについての t 検定を行ったところ A 中学校の自尊感情得点は他の中学校の平均と比べて 2 得点ほど有意に高かった。また、自尊感情得点と学校ごとの得点分布を調べるために、低群・高群に分けた自尊感情得点と 4 つの学校でクロス集計（χ2 検定）を行ったところ、A 中学校は B～D 中学校よりも、自尊感情得点の高群が有意に多いことが分かった。

　「人や地域とのつながり」に関する項目群に対して生徒の意識の傾向を見るために因子分析をおこなったところ、「身近な人からの賞賛」（α ＝.840）、「地域の人からの賞賛」（α ＝.861）、「地域への誇りや愛着」（α ＝.871）、「友人への好意や理解」（α ＝.828）、「家族への好意や理解」（α ＝.816）、「教師への好意や理解」（α ＝.787）の 6 つの因子が抽出された。

　「人や地域とのつながり」と自尊感情の関連を調べるために、A 中学校を対象として抽出された「人や地域とのつながり」に関する 6 つの因子を説明変数とし、自尊感情尺度を従属変数として重回帰分析をおこなったところ、A 中学校全体では「身近な人からの賞賛」「友人への好意や理解」「地域への誇りや愛着」の説明変数から「自尊感情」への正の影響が確認された。男子は「友人への好意や理解」「地域の人からの賞賛」の説明変数から「自尊

感情」への正の影響が確認された。女子は「身近な人からの賞賛」「地域への誇りや愛着」の説明変数から「自尊感情」への正の影響が確認された。1年生は「身近な人からの賞賛」の説明変数から「自尊感情」への正の影響が確認された。2年生は「身近な人からの賞賛」「友人への好意や理解」の説明変数から自尊感情への正の影響が確認された。3年生は「身近な人からの賞賛」「地域への誇りや愛着」の説明変数から自尊感情への正の影響が確認された。

　「人や地域とのつながり」と自尊感情の関連を4つの学校で比較するために、B～D中学校を対象に抽出された「人や地域とのつながり」に関する6つの因子を説明変数とし、自尊感情を従属変数として重回帰分析をおこなったところ、B中学校では「身近な人からの賞賛」「友人への好意や理解」の説明変数から「自尊感情」への正の影響が確認された。C中学校では「身近な人からの賞賛」の説明変数から「自尊感情」への正の影響が確認された。D中学校では「身近な人からの賞賛」の説明変数から「自尊感情への正の影響が確認された。

研究Ⅱ

　研究Ⅱでは、A中学校のESDの実践状況や生徒の学習の様子を明らかにするために、参与観察とインタビューによるエスノグラ

フィー調査を行った。参与観察では、1年生を対象に行われる1泊2日の自然体験学習に同行した（2011年10月実施）。インタビューでは、3年生を対象にグループインタビューの形式を用いて行った（2012年3月実施）。

　参与観察の結果、1日目の天城山の登山では、伊豆森林管理署や天城自然ガイドクラブの方の案内のもと、天城山で起こっている鹿の食害の問題について真剣に学習に取り組む生徒の様子や、雄大な自然の景色を目の当たりにして感嘆する姿が観察された。1日目の晩から2日目にかけてNPO法人天城子どもネットワークの方によって行われたネイチャーゲームや自然学習では、普段見ることのない夜の森の様子の観察や、五感を使って自然を感じるゲームや学習を通じて、自分たちの住む地域の自然のすばらしさや雄大さを実感している生徒の様子が観察された。

　グループインタビューの結果、3年間のESDの学習で印象に残っている取り組みについて質問したところ、天城山の鹿の食害に関する内容、修学旅行に関する内容、職場体験学習に関する内容についての発言が得られた。鹿の食害に関する内容では、総合学習のなかで鹿の食害を防ぐために設置した鹿柵のなかの植生を、卒業後も気にかけていきたいと11人中9人の生徒が答えた。また、鹿柵の設置に直接的に関わることができずとも、自分にできることで地域の問題の解決に関わり続けたいとすべての生徒が答

えた。修学旅行に関する内容では、地域に誇りをもち、守っていこうという意思を感じさせる発言があった。地域の自然保護の取り組みとモデル都市の自然保護の取り組みを比較した女子生徒は、「行政で行っている取り組みに差はないけれど、違うのは住んでいる人の意識でした」と述べ、「若い人が土地に残って自分の町は自分で守ることが大切だと思った」と答えた。職場体験学習に関する内容では、職場での体験を通じて社会のなかで働くことの意味や意義について、それぞれの視点から感じたことを答えてくれた。一例として、病院へ職場体験に行ったことをきっかけに理学療法士を目指していると話していた男子生徒は、病院での実習でお年寄りと接するなかで「嫌な感じはしなかったけれど、人と接することの難しさを感じた」と、自分の思いを相手に伝えることの難しさや大切さを感じたと述べていた。また、「僕の住む地域は高齢化が問題になっているから、理学療法士として地域のためになる仕事がしたい」と話してくれた。

本研究のまとめ

　質問紙調査の結果から、自尊感情の現状に関しては、A中学校の生徒の自尊感情は他の学校と比べて平均を上回っており、直接的に比較することはできないが、平成19年度の調査の結果とこれまでの実践の経緯を踏まえると、ESDの実践に取り組むことで生

徒の自尊感情に変化があったのではないかと期待される結果となった。

　「人や地域とのつながり」と自尊感情の関連に関しては、「人や地域とのつながり」に関する因子である「身近な人からの賞賛」から自尊感情への影響が確認されたことは、他者からの肯定的なフィードバックが自尊感情に影響を与えるという自尊感情に関する多くの先行研究を支持する結果となった
（Lawrence, 2006）。同様に、「地域への誇りや愛着」から自尊感情への影響が確認されたことから、「地域への誇りをもたせ、生徒の自尊感情を高める」という側面において、A中学校の教育目標（仮説）は支持される結果となった。また、他の学校の結果と比較すると、「地域への誇りや愛着」から自尊感情への影響はA中学校にのみ見られる関連であることから、A中学校においては両者を関連づける文脈変数の存在が示唆された。

　エスノグラフィー調査の結果から、ESDの学習を通じて地域に対する誇りや愛着を抱いている様子が見られた。また、生徒の発言から、「地域を持続可能な社会にしていこう」という意識によって地域社会に対する所属感や帰属意識も高められていると考えられた。特定の集団を同一視することで、高い自尊感情の発達に役立つ安心した所属感が生まれると考えられているが
（Lawrence, 2006）、ESDの学習を通じて抱く地域社会に対する所

属感や帰属意識が「地域への誇りや愛着」と自尊感情を関連づけているのではないかと推測される。同時に、地域を持続可能な社会にするという ESD の学習は、自分の手で自分の住む地域を作り上げていこうという自己に対する有用感を育んでいると考えられる。

　学校教育に ESD を取り入れることは、「持続可能な発展を行う」という世界的なニーズに応えるだけでなく、人や地域とのつながりのなかで豊かな自己概念を育みながら、自分たちの住む世界を自分たちでつくり上げていくという有用感を育むことができるという可能性を、本研究を通じて示唆することができた。

　課題と展望

　本研究では「人や地域とのつながり」の要素を A 中学校の ESD の実践の枠組みのなかで仮定し、質問項目を設定した。しかし、「人や地域とのつながり」は抽象的な概念であり、構成要素を限定することは困難である。「人や地域とのつながり」を構成概念として扱うのならば、定義の明確化や設定した質問項目の妥当性の更なる検討を行う必要があるだろう。

　また、本研究の成果を踏まえて、A 中学校における「地域への誇りや愛着」と自尊感情との関連をより実証的に明らかとすることで、A 中学校の教育実践のねらいを焦点化し、より効果的な実践へと改善することが可能となると考えられる。また、ESD に取

り組む他の学校や、地域への誇りや愛着といった郷土愛を通じて自尊感情を高める取り組みを行っている学校に対しても、実践の改善のために重要な視点を提示することができると期待される。

（ ※ Ａ中学校＝天城中学校、 文中の下線は後から筆者が付加した ）

引用文献

Campbell, J. D. & Lavallee, L. F. (1993) . Who am I? The Role of Self-concept Confusion in Understanding the Behavior of People With Low Self-Esteem. In Baumeister, R. F. (Ed). Self-Esteem : The puzzleof low self-regard. Plenum.

遠藤辰雄・井上祥治・蘭千壽編（1992）『セルフエスティームの心理学―自己価値の探求―』ナカニシヤ出版.

James, W. (1890) . The Principles of Psyc-hology. (volume one/two). Dover Publications. (今田寛訳（1993）『心理学（上・下』岩波文庫)

Lawrence, D. (2006) . Enhancing self-este-em in the classroom (3rd Ed.) London : Sage Publication. (小林芳雄 訳（2008）『教室で自尊感情を高める―人格の成長と学力の向上をめざして―』田研出版)

Rosenberg, M. (1965) . Society and the adolescent. Self-image. Princeton, NJ : Princeton University Press.

6-1　天城中学校の自尊感情の変化

　横嶋氏の論文の本文を全て読みこなすためには、統計学の専門的な知識が必要となり私もかなり苦労した。ここでは分析結果から導かれた要点だけを取り出し、実践を振り返ってみたい。

　先ず、分析から得られた自尊感情得点の結果から要点をまとめると次のようになる。

① 天城中学校と他の中学校の自尊感情得点の平均値は、t検定の結果、天城中学校は2点ほど**有意に高い結果**となった。（図6-1）

② 得点の分散においても天城中学校は他の中学校よりも**高得点に分散する傾向**が見られた。

③ χ2(カイ２乗)検定の結果からも高群に分布する比率が**他の中学校と比べて約15%有意に高い結果**となった。

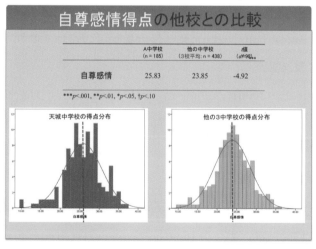

図6-1

以上の結果から、ESDに取り組む以前の自尊感情（平成21年度の学力学習状況調査の結果で全国平均を大きく下回っていた）に比べ、自尊感情が向上していることが期待できる。しかし、扱っている自尊感情尺度や調査対象が異なっているため単純に比較できない。そこで、自尊感情が以前より高まっている事を確かめるために、H26年度・H29年度（実践5年目と8年目）の全国調査のデータと比較すると以下に示すような結果となった。（**図6-2**）母集団が異なっているので単純には比較できないにしろ、確かに**以前と比較して自尊感情が全国平均を超えている**ことが分かる。結論として、ESDに取り組む事により**天城中学校の生徒の自尊感情は向上した**といってよいだろう。総合的な学習への関心をはじめ全ての項目において全国基準を大きく上回り向上が見られた。

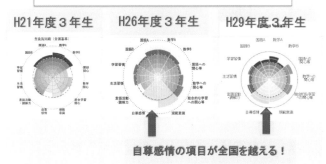

図6-2

6-2 「人や地域とのつながり」と自尊感情との関連について

　自尊感情が高まった原因を探るために人や地域との**つながりと自尊感情との相関**を探る。横嶋氏の分析によると、「人や地域とのつながり」の要素について次の**6つの因子**を抽出している。

a 他者からの肯定的なフィードバックの因子

　① 身近な人からの賞賛（家族・友達・教師から褒められること）

　② 地域の人からの賞賛（地域の人から認められる・褒められること）

b 身近な人や地域への愛着の因子

　③ 地域への誇りや愛着（地域が好き、誇りに思う、よい所を言える）

　④ 友人への好意や理解（友達が好き、よく話す、よい所を言える）

　⑤ 家族への好意や理解（家族が好き、よく話す、よい所を言える）

　⑥ 教師への好意や理解（先生が好き、よく話す、よい所を言える）

A この6つの因子を説明変数とし、自尊感情尺度を従属変数として重回帰分析を行ったところ、天城中学校**全体**では

　① 身近な人からの賞賛

　③ 地域への誇りや愛着

　④ 友人への好意や理解

の3つ説明変数から**自尊感情**への影響が確認された。

B 男女別に比較すると、

　男子は②地域からの賞賛、④友人への好意や理解から自尊感情への影響が確認された。

女子は、①身近な人からの賞賛、③地域への誇りや愛着から自尊
感情への影響が確認された。

C　学年毎を比較すると

　1年は①身近な人からの賞賛、

　2年は①身近な人からの賞賛、④友人への好意や理解、

　3年は①身近な人からの賞賛、③地域への誇りや愛着で自尊感情
への影響が確認された。

　A、B、Cの結果から、自尊感情に影響を与えたとされる因子
は、学校全体としては①、③、④の3つであり、学年毎に見た結果
でも①の身近な人からの賞賛（家族・友達・先生から褒められた
り認められたりする）は共通して自尊感情に影響を与えている。
このことは、「他者からの肯定的なフィードバックが自尊感情に
影響を与える」（Lawrence,2006）という自尊感情に関する多くの先
行研究を支持する結果となった。興味深いのは、③の地域への誇
りや愛着から自尊感情への影響が確認されたことで、天城中学校
の「体験を通して地域のよさを知り、地域の人とつながり、体験
を通して地域への誇りや愛着を育て、地域課題の解決策を考え行
動する事で全体として自尊感情を高める」というプロセス（仮
説）は支持される結果となった。しかも、他の3校の分析結果から
は、③地域への誇りや愛着から自尊感情への影響が見られなかっ

た。この事から天城中学校のESDを貫くテーマ「**地域を持続可能な社会にしていこう**」という意識によって**地域社会に対する所属感や帰属意識が高められた結果である**と考えられる。横嶋氏が言うように「**ESDの学習を通じて抱く地域社会に対する所属感や帰属意識が地域への誇りや愛着と自尊感情を関連付けている**のではないか」と推測される。つまり、「地域を持続可能な社会にしようという**ESDの学習は、自分たちの手で自分の住む地域を創りあげていこうという自己に対する有用感を育んでいる**」という横嶋氏の結論と私の考えは一致している。

　学年別の分析結果からは、学年が進むにつれて１年生は①身近な人からの賞賛の因子が、２年生は④友人への好意や理解の因子が、３年生は③地域への誇りや愛着の因子の影響を強く受けている。このことも、それぞれの学年での体験学習（ESD）のテーマが先ず地域の自然や高齢化問題の理解や課題意識を深め、体験を重ねていくに従って先生や仲間からの受容的な態度により、共に学ぶ仲間意識や連帯感を育て、３年間を通して地域への誇りや愛着を育てながら自尊感情を高めていったと考えられる。

　男女別の分析結果で興味深いのは、男子だけに「地域からの賞賛」の因子が自尊感情に影響を与えていたことで、この結果からだけでは理由は判断できないが、もしかすると自尊感情に影響を与える因子が男・女によって違いが有るのかもしれない。

6-3 自尊感情に関する分析のまとめ

　本校では、何をすればESDといえるかよく分からないながら、研究仮説にあるように生徒の「自尊感情（自信）」を高めたいという思いからESDを手段として取り組んだ。生徒の実態から、とにかく体験を通して自分たちの住んでいる地域のよさを実感させると共に地域の人と**つながる**ことで地域への誇りや愛着を生み、結果として「自尊感情」が高まるのではないかと考えた。

　その実践の結果を分析した横嶋氏の論文（抄録）の要点をまとめると次のようになる。

　1　天城中学校の生徒の「自尊感情」は他の中学校３校と比較して高い傾向にあった。（この事は、全国学力学習状況調査の結果からも確かめられた。）

　2　天城中学校の生徒の「自尊感情」は

　　①　身近な人からの賞賛（身近な人から褒められ・認められる）

　　②　地域への誇りや愛着（地域が好き、誇りに思う、よい所を言える）

　　③　友人への好意や理解（友達が好き、よく話す、よい所を言える）

　　の３つの要素によって高まっている可能性が高い。（**図6-3**）

　3　４校の学校別の分析結果から、②「地域への誇りや愛着」の要素から「自尊感情」への影響が見られたのは天城中学校のみで確認された。

この「地域への誇りや愛着」の要素から「自尊感情」への影響が見られた原因は天城中学校独自のESD実践にあると考えて間違いないだろう。天城中のESD実践では地域での「自然体験」や地域での「福祉体験」、「職場体験」そして３年生の地域と古都を対比する「修学旅行」と伊豆市への提言のための「地域学習」という一連の地域に対する体験を通した学びが「地域への誇りや愛着」を生み、提言や行動を通して地域社会に対する所属感や帰属意識が自尊感情を高めることにつながったと考えられる。つまり、身近な地域をテーマにした天城中学校独自のESDが、実践を通して「友人への好意や理解」、つまり共に課題解決に向かう仲間意識を深め、「地域への誇りや愛着」を生みそれと共に「自尊感情」を高めていったと考えられる。

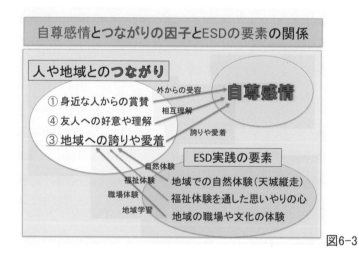

図6-3

第7章　ESDの実践を通して見えてきたもの

　ESDを実践するためには、何をやったらESDといえるのかということを問い続けながら、とにかく生徒の「自尊感情を高めたい＝自信を持って欲しい」という願いでESDに取り組んできた。準備期間も含めて正味４年間の実践から分かったことは、天城中学校の生徒の**自尊感情**や「**地域への誇り**」はESDの実践における様々な「**つながり**」の中で生まれたということになる。

　現在の中学生は家族以外の大人や地域との**つながり**が非常に弱く、場合によっては親による虐待やネグレクトに見られるように家族の**つながり**でさえも切れようとしている。学校の学びは教科により分断され、子どもたちは各教科が関連して**つながり**があるものとしてではなく、それぞれ独立したものとして捉えている。
　ところが、ESDを始めると体験を通して様々な地域の大人と**つながり**、今まで見えていなかった地域のよさ理解することにより地域に誇りや愛着を懐くようになった。同時に、地域を持続不可能にする課題も見えるようになる。そして地域に誇りを持つようになったからこそ課題を**自分事**として捉え、その解決策を仲間と知恵を出し合いながらまとめることを通して、仲間との絆を強めていった。その学びには教科に関係なく、**必要だから学ぶ**という

ことが自然で当たり前の事になった。正に、新学習指導要領の柱となっている「主体的、対話的で深い学び」が起きていた。

　また、身近な地域の大人や親からその活動や提言を認められ、褒められることを通して地域社会に対する所属感や帰属意識を高め、自分に対する自信を深めることになった。その結果として自尊感情の高まりも見られた。

　2014年(DESD最終年)、岡山で行われたユネスコスクール世界大会で発表したとき、事例集の冊子にはESDの実践を「つながり」をキーワードに以下のようにまとめた。(**図7-1**)

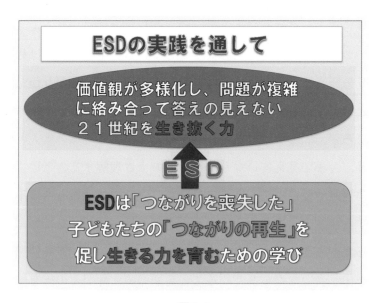

図7-1

7－1 「ESD」という教育の意味するもの

① 新しい教育の方向性を示すもの

　ESDは当初「持続可能な開発（SD）のための教育」と訳されていたが「持続可能な社会づくりの担い手を育てる教育」や最近、新学習指導要領の前文に使われた「持続可能な社会の創り手を育てる教育」と言い換えると理解しやすい。そこで問題になるのは「持続可能な社会」とはどのような社会を指すのかということである。

　裏を返すと、現在、私たちは確実に「持続不可能な社会」へと向かっているという認識が必要になってくる。私は、理科の教師として化石エネルギーの枯渇や生物多様性の危機、地球温暖化や気候変動のなどの「持続不可能な世界」の現状を科学的な側面から学んでいたので抵抗なく理解出来た。つまり持続可能な開発（SD）という概念ができあがった背景には「持続不可能な世界」の現状がある。

　今、当時の実践を振り返りながら考えることは、今までの中学校教育は子どもたちの自信（自尊感情）を奪ってきたのではないかと思う。多様な生徒がいる公立の中学校では先生の進める授業のペースではついて行けない生徒も大勢いる。しかも、学習指導要領には「ゆとり教育」の反動で教える内容がたくさん盛り込まれ、高校入試を考えるとなかなかペースを落とせない。

授業では**正解ばかりを求められる**ため、生徒は理解する過程よりも結果だけを知りたがる傾向が強くなっている。そこには、先生は正解を教える人、生徒はそれを当てる人という関係が成り立っている。生徒はよほど答に自信がない限り手を挙げて発言しなくなり、自由な意見発表を求めてもなかなか自分の考えを発表しなくなる。（もちろんこれは授業の組み立て方にも問題があるのだが・・・）　ところが、ESDを柱にした学びでは、見違えるように生徒は活発になる。教科の授業ではおとなしい生徒が積極的に話し合いに参加したり、意見を発表したりするようになる。なぜそのような変化が生じるのだろう。

　天城中学校でESDに取り組むに当たって掲げた大きな柱は「自分たちの住む**天城を持続可能にしよう**」ということだった。そもそも、ESDの掲げている「持続可能な社会」を創るための真の答えは、大人でさえこれが「正解」だと言い切れる人はいない。ESDでは様々な要因が複雑に絡みあって、大人でさえ正解の分からない現代的な課題を考えるのだから、生徒は安心して自分の考えや意見が言える。つまり、先生（大人）と対等な立場でものが言えるようになる。生徒が元気で活発になる大きな要因の一つは、誰にも正解が分からない課題を考えていくため、誤答を心配せずに自分の考えを表現できそのことを誰も否定できないという安心感が生徒にとってよかったのではないかと思う。しかも、大

人では気づかないような新たな視点で発想した意見は、時に大人をうならせ感心させる。この好循環がますます生徒を勇気づける。

　このような学習では、先生の役割も変わってくる。先生は「正解を知っている人」ではなく「生徒と共に悩み、考え、課題解決に寄り添う人」でなくてはならない。つまり先生の役割は、ファシリテーターであり地域の人や専門家と生徒をつなぐコーディネータでなくてはならない。

　今までの学校教育を**ジグソーパズル**（正解が決まっていて答えは１つしかない）に例えると、ESDを柱にした教育は**レゴ**を組み立てることに似ている。課題に対する答えはいくつもあり、それぞれ自分なりの根拠を示して答えれば認められる。

　SDGsに代表される世界の課題を見ても、今まで学校教育で学習した教科の知識だけでは決して解決できない。（図7-2）つまり、これからの21世紀を生きていく子どもたちにとって、現代社会の課題を解決するためには各教科のバラバラな知識の集合体では何も解決できないことになる。最近よく言われるようになった「**正解のない時代**」を生きる力は今までの教育方法では育たない。必要に迫られて自ら学んだ知識を有機的につなげ応用し、失敗や試行錯誤をくり返しながら学ぶ体験を小学校高学年辺りから積み上げていかなければ「持続可能な社会の創り手」は育たないだろ

う。21世紀を「生きる力」は探究の過程を通してこそ培われていくと考えられる。また、ESDの価値もそこにこそあると確信している。

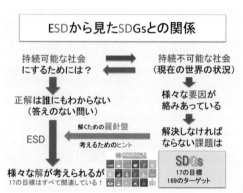

図7-2

　日本が主導して始まったESDの10年(DESD)が終わった後、2015年にグローバル・アクション・プログラム（GAP）とSDGsが作られた。その中で「ESDは（中略）学習者が持続可能な開発の行動へと駆られるような**革新的な参加型教育及び学習の方法**を必要とする」と書かれている。そのような意味で、ESDやSDGsは革新的な新しい教育の必要性を示しているといえる。（**図7-3**）

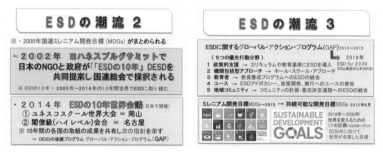

図7-3

私がESDを始めた頃の少し古いデータだが、皆さんも目にした
ことがあると思う以下の様な研究がある。そして、今、そのこと
が現実に起っている。（**図7-4**）

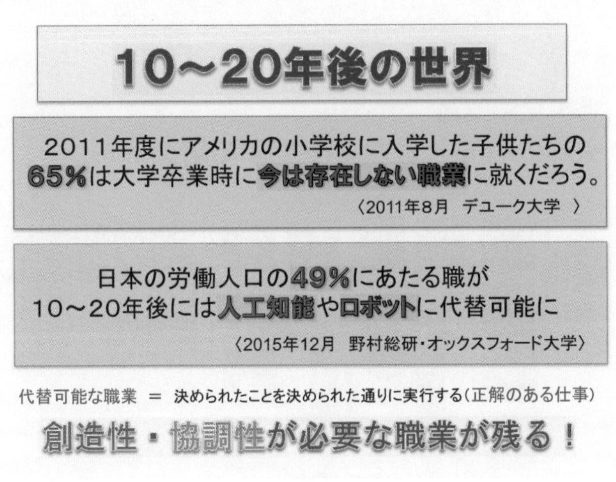

10～20年後の世界

2011年度にアメリカの小学校に入学した子供たちの
65%は大学卒業時に**今は存在しない職業**に就くだろう。
〈2011年8月　デューク大学　〉

日本の労働人口の**49%**にあたる職が
10～20年後には**人工知能**や**ロボット**に代替可能に
〈2015年12月　野村総研・オックスフォード大学〉

代替可能な職業　＝　決められたことを決められた通りに実行する（正解のある仕事）

創造性・協調性が必要な職業が残る！

図7-4

　決められたことを決められた通りにする仕事（**正解のある仕
事**）はどんどんAIやロボットに奪われ、これからは、ますます創
造的な仕事（**正解のない仕事**）が重要になってくる。
　SDGsに代表される2030年までに解決すべき課題は正に「**正解
のない課題**」であり、このような課題に対して自分なりの根拠の
ある解決策(自分にとっての最適解又は納得解)が導ける力を備え
た人を育てるのがESDだと言える。

SDGsを解決に導くためには、大人はもちろんのこと、若者や子どもも含めたあらゆる世代の人が、人種や性別、立場や職業を超えて協働して初めて達成ができるものだ。だからこそ、その推進力となるESDが若者にも大人にも必要である。（**図7-5**）

図7-5

② ESDは衰退した地域を活性化する鍵！

　生徒の自尊感情を高めたいという意図でESDに取り組んだが、実践していく中で、ESDに取り組むと衰退した**地方の再生につながる**ということを実感した。もちろん、子どもたちが地域に対して誇りや愛着を持つように意図して実践したので、当然と言えば当然なのだが、将来は大学で地域課題の解決について学び、地域の活性化に貢献したいという生徒が年々増えている。

　天城中の卒業生で今年大学に進学した生徒２人が、コロナ禍の影響で地元に残っていたため、天城中で学んだことが進路選択にどのような影響を与えたかについて書いて欲しいと依頼した。すると快く引き受け、文章を寄せてくれた。その一部を本人の了承を得て紹介したい。

　　　　　　　　　　　　　　　　　　東京学芸大学１年　菊地智貴

　私は中学校３年間、総合的な学習の時間「天城学習」を通じて地元について学び、感じ、天城が持続可能な地域になるための方法を模索した。「天城学習」が私に与えた影響は多大なものである。今回、天城学習が高校３年間を経て大学生になった私の現在までの価値観・進路決定にどのように関わってきたか述べていこうと思う。

<u>1，私の天城学習（概略）</u>　　　←　省略

<u>2，福祉体験での学び</u>

福祉体験では天城デイサービスに訪問し、高齢者の方々とふれあい・お世話させていただいた。ここでの事前研修・訪問から福祉関連業の大変さ・命を預かる責任の重さを実感した。天城において福祉施設が担う役割の重要性も改めて認識することができた。

3, 自然体験での学び

　自然体験は1・2年次に渡って行われ非常に印象的である。1年次は萬城の滝キャンプ場に宿泊し、伊豆が誇る大自然の雄大さ・底知れぬ魅力に感動した。2年次は天城山に登り動植物・ジオパークについて説明を受けながら八丁池・皮子平を目指したが、天候により中断。途中ブナ・ヒメシャラ等の林やアマギシャクナゲの美しさに魅了されながらも、シカの食害・モリアオガエルの減少の実態を目の当たりにし、問題の深刻さに気づかされた。

4, 職場体験での学び

　職場体験ではスーパー大地讃頌に赴き、市場からの輸送・価格管理・包装・販売の流れを実際に行った。我々の社会を支える労働の過酷さが身にしみた。また大地讃頌は小売店としての業務のほかに、地元でとれた鹿肉をジビエとして高級料理店等に販売する卸売業も行っている。創意工夫し常に考えることで、立地などの不利をカバーできることも再認識した。

5, 修学旅行での学び

修学旅行では京都・奈良を訪れ、古都の歴史・文化を学び、天城との比較を行った。観光資源を保全・活用・発信する方法を求め、来る天城学習発表会に向けてヒントを探索した。私は天城に起源を遡る「狩野派」についての研究のため、狩野派をはじめとする絵画を求め様々な名所・博物館を訪問。荘厳・優美な絵画の数々から芸術の魅力を改めて感じ、狩野派を天城の観光に活用する提言の着想を得た。

6，天城学習を経て感じたこと

　私が天城学習を通じて感じたことを3つに大別した。

① 　地元愛

　　様々な体験のなかでそれまで知らなかった天城の魅力に触れ、自分たちの故郷を守り、持続可能な地域にしたいという感情が芽生えた。ESD に取り組んでいく上で原動力となる地域を愛する心「地元愛」を意識するようになった。

② 　価値創造・発信の重要性

　　少子高齢化と衰退が進む天城にも多くの長所・オリジナルの魅力がある。それらは既存の資源だけでなく、地域の人々が創意工夫し新たな価値として勝負しているものもあった。新たな価値を創造し、世間に発信・共有する重要性を認識した。ここに持続可能な地域になるための活路を見いだすことができると思っている。

③ 　自己肯定感

それまで私は自分の住む天城およびそこに住む自分自身に誇りを持つことはできずにいた。小学校は3校合併となり、5年間過ごした母校が失われた。過疎化は進み、農業は食害に悩まされ、観光客の足取りも低下している等短所にばかり目がいっていた。しかし天城学習における様々な体験のなかで①でも述べた地元愛が生まれ、天城に生まれ育った自分に自信をもつことができた。

④　研究テーマの継承・発展の提案

在学中、研究テーマの多くは一年間の探求で完結するものだったと記憶している。新たな研究を始めるのも重要である。しかし過去の研究の中から生徒が再び取り組みたい・追求するべきと感じたものを継承し、新たな発見を蓄積していく形態を取り入れることで活動はより発展的になっていくと感じた。

7，中学校卒業後の自分と天城学習

中学校卒業後、私は韮山高等学校に進学し勉学と部活に明け暮れた。日頃の授業の中で私は「地理」という科目に出会い、のめり込んでいった。中学校まではただの暗記作業だったが、地理は単なる暗記だけが目的ではない。与えられた資料から情報を読み取り、地域の特徴を整理・比較しながら解答を推測していく。インプットした知識を「組み合わせ」て「考える」ことが重要となる。振り返ってみると、私が地理という教科に熱中した理由の1つに天城学習があると思う。地理と天城学習には多くの共通点がある。問われてい

る問題・解決すべき課題は単純ではなく、多くの要因が複雑に絡み合っている。机の上で行われる学習以外に、実際の体験が問題解決の大きな手助けとなり得る。一つ一つの知識・研究の価値は小さくとも、それぞれが組み合わさり積み重なることで大きな価値となる等。上記は地理と天城学習の魅力であると考えている。中学校3年間、天城の新たな可能性を追求した天城学習の日々が地理および探求活動全般への興味につながっているのだと思う。

　また、現在私は学校教師を志している。理由は自分がこれまで蓄えてきた知識・考え・価値を多くの人に共有したい、それらを第三者の成長・変化に役立てたいと思うからである。将来教員になった暁には、天城学習を通じて得たものを児童・生徒に継承していくことを目指したい。

8，終わりに

　天城学習は私という人間の形成に非常に大きな地位を占めているといえる。かけがえのない故郷を持続可能にするための学習は地域への貢献だけではなく、生徒の成長の大きな手助けになり得るだろう。私の成長を促してくれた当時の先生方、研修・体験でお世話になった地域の人々に感謝し、この活動が天城中学校および他の学校でも継承・発展していくことを期待してこの文章の結びとしたい。

金沢大学人間社会学域地域創造学類 1 年　内田陽仁

① ESD との出会い

　私が ESD という言葉を知ったのはユネスコスクールに加盟し ESD 活動の一環の中で「天城学習」という総合学習を行った中学生の時でした。初めてその名前を聞いたときは全く何のことかわからなかったものの、自分のまちやそこで営まれる人々の暮らしを学んでいくことに興味を持ちました。

② ESD の活動

　「天城学習」では福祉体験、自然体験、職場体験などを通じて、地域からその魅力、課題を見つけていきました。さらに他地域を知る修学旅行、自分で立てた課題を解決する地域学習を経験し自分たちの故郷が持続可能な地域として発展していくための提言をまとめました。私は特に自然体験、職場体験、地域学習が印象に残っています。自然体験では日本百名山にも数えられる天城山を登りながら、広大なブナ林や天城原産のアマギシャクナゲを目の当たりにして今までは知らなかった故郷の雄大な自然を感じることができました。しかしその一方で、シカが適正頭数を超えてしまったために起こる食害などの問題点を知ることにもなりました。天城の自然を魅力と課題を踏まえた上で、この自然を生かして地域を活性化できないかと思うようになりました。しかし、まずは課題を解決する現場

を知る必要があると思い、職場体験では伊豆の山を守る伊豆森林管理所さんのお仕事を体験させていただき、自然を守る活動に触れることができました。

そして迎えた「天城学習」の集大成である地域学習では世界ジオパークにも認定された伊豆半島ジオパークに注目し、伊豆の雄大な自然を感じられるジオパークの観光地化を進め伊豆により多くの人を呼び込むことで伊豆の活性化を考えました。この考えをより深めるために私は近隣にジオサイトを巡り観光地化への課題を探し、その改善点に加え、伊豆を旅したくなるためのアイデアを考え提言をまとめました。

③　ESD 活動で得たもの

　私が ESD 活動を経験し一番良かったと思えることは自分の暮らす地域の魅力を知ることができたことです。この活動の中で私は故郷のことが好きなんだということに気づきました。さらに自ら立てた課題を追求するという活動は自分の視野を広げてくれたと感じています。誰かにやらされる学習ではなく、探究心を持って学ぶことの楽しさや、意味を実感することができました。

④　ESD 活動と私の進路

　ESD 活動を通して地域の魅力を知った私は、将来地域に貢献できる仕事がしたいと思うようになりました。地域行政や観光業などを志望し、それらを含め地域社会を学ぶため金沢大学人間社会学域地

域創造学類に進学することとなりました。大学では、財政、コミュニティ、観光、居住、スポーツなどあらゆる視点で地域について学び将来故郷に貢献できる人材として成長したいと考えています。

⑤　私の思う ESD 活動

　　地方創生が叫ばれる今日の日本にとって ESD から学べるものは多いと思います。子供の時に地域の魅力を深く知ることは地元愛やシビックプライドにつながり将来的に地元に帰ってくるという選択肢が生まれると思います。持続可能な社会を目指す一つの手段として若い世代が地域を好きになるきっかけを与えられる活動だと思います。

　　日本各地の地方都市で地域の衰退が進行している。若者は、大学や働く場所を求めて都会へと向かい、高学歴（地域を捨てる学力を付けたもの）になると地域には働く場所がないと言って戻らない。地域は益々お年寄りばかりになる。近所で子どもたちが元気に遊ぶ声が響かなくなり、地域の活気が失われていく。子どもの急激な減少により小・中学校の統廃合が進み、学校のなくなった地域には若い夫婦が住まなくなるため人口減少に拍車がかかる。農業の後継者が減少し、耕作放棄地が増えることでシカやイノシシが日本の美しい里山を荒らしている。地域によっては、シ

カやイノシシばかりでなくクマまでもがエサを求めて人里まで侵入してくるようになり、人と野生動物の境界線がなくなりかけている。そして、駆除という名目で殺されてしまう。

　一方で、このような現状に危機感を抱き、自然や里山の復活を求めてIターンやUターンする若者も増えてきている。コロナ禍により、リモートワークの可能性が見えてくると、高い家賃を払って都会に住むより、自然の中でのびのびと子育てや生活をしたいと考える若者も増えているのは歓迎すべき傾向だ。

　天城中でESDを始めたきっかけの一つに、ほとんどの生徒が将来は東京や横浜に住みたいと考えていることがあった。生徒がこのように考えるようになった背景には大きく二つの原因が考えられる。一つは、生徒の生活が勉強・部活・塾・宿題の毎日で地域の自然や歴史・文化に体験的に触れたり、地域の人と交流したりする機会が失われていることがあげられる。もう一つは、親や身近な大人が発する、地域に対する否定的な言葉だと考えられる。観光業も衰退しこんなところでは働く場所もないからとか、農業は重労働でしかも農業だけでは食べてはいけないというような地域を否定するような言葉を聞いて育った子どもたちには、決して郷土に対する誇りや愛着は育たない。

　そこで、先ず体験を通して地域のよさや素晴らしさを実感させたいと思いカリキュラムを作り直した。卒業生の作文からもわか

るように生徒は、体験を通して初めて地域のよさに気づき、だんだんと地域を誇りに思うようになった。

　ここで、大切なエピソードを一つあげたい。天城は作家の井上靖氏が幼少期を過ごした地として、伊豆市では毎年「井上靖感想文コンクール」を実施いている。全国から集まる応募作品の中で、筑波大学附属中・高等学校の生徒の作文が毎年上位に入賞する。また、筑波大附属中の生徒は、修学旅行の一環として井上や川端・夏目などの文学に興味を持った生徒のグループが伊豆への旅を選択してやってくる。せっかく伊豆に旅行に来るのだからと、「井上靖ふるさと会」の当時の会長から筑波大附属中の生徒との交流を勧められ、毎年交流会を開くようになった。体育館での交流会の中で天城中の生徒がESDの活動を紹介したり井上靖作詞の校歌の合唱を聴いてもらったりした後、互いの生徒が混ざった5,6人の小グループで自由に歓談した時のことだった。あるグループの雑談の中で天城中の生徒が夏はホタルが当たり前のように飛んでいるという話しをしたとき、附属中の生徒が驚いた様子を見せ、うらやましがった。その様子を見ていた天城中の生徒は、改めて天城の自然の豊かさを感じ取っていた。このように、外部の人からの評価を聞いてますます地域の素晴らしさを認識し、地域に対する誇りや愛着が育まれていった。

このようにして地域を誇りに思うようになると地域の課題が自分事に見えてくる。しかも、それは従来の発想では解決できない課題が多い。しかし、すでに自分事となった課題に対し、生徒の柔軟な思考は、大人が思いつかないような発想で解決策を見いだして大人をうならせることがある。たとえ、それが失敗し思うような解決につながらなかったとしても、その経験が次に活かされていく。そして、成長するにつれて地域に埋もれている価値を元に新たな仕事や働く場所を創り出し、持続可能な社会の創り手となることにつながっていく。ここには都会に比べて何もない、働く場所もないというような大人の狭い思考を打ち破り、地域にある当たり前のものから新たな価値を生みだすような起業家精神が培われていくことになる。

　このように、ESDを通して学んだ若者が地方の衰退を食い止める原動力になっていくだろう。そのためには、今までのマインドセットを捨て、今までにない仕事を生みだすようなパラダイムシフトを生む柔軟な思考力が必要になる。そのために、いわゆる起業家精神（アントレプレナーシップ）を生む教育が必要で、ESDの大きなテーマである「持続可能な社会」という「正解のない問い」に対して自分なりの答えを導きだす訓練や失敗から学ぶ訓練が大切になってくる。これからは、「故郷を捨てる学力」から「故郷を活かす学力」への転換が必要だ。（図7-6）

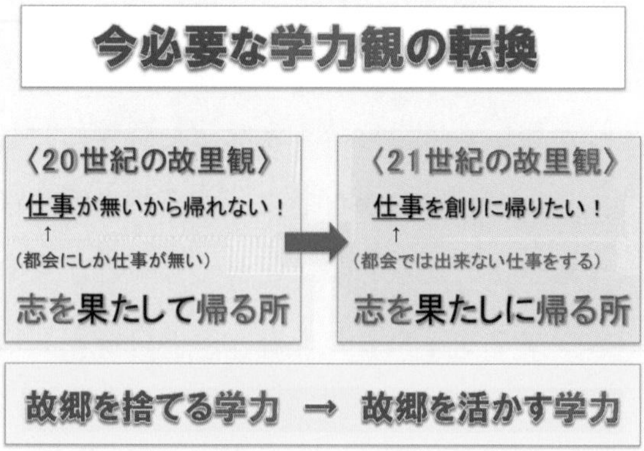

今必要な学力観の転換

〈20世紀の故里観〉	〈21世紀の故里観〉
仕事が無いから帰れない！	**仕事**を創りに帰りたい！
↑	↑
（都会にしか仕事が無い）	（都会では出来ない仕事をする）
志を果たして帰る所	志を果たしに帰る所

故郷を捨てる学力 → 故郷を活かす学力

図7-6

7-2 ESDの学びはPBL（Project/Problem based Learning）？

　最近、高等学校や大学の授業でPBLという言葉をよく耳にするようになった。PBLのPはプロジェクトとプロブレムの両方の意味で使われている。それぞれの厳密な違いはよく分からないが、その区別は専門家に任せることとして、中学校の授業でも「問題解決的な授業」＝PBL？がずっと主流となっていた。自分の理科の授業でも常に生徒主体の「問題解決的な授業」を意識して授業案を考えてきた。しかし、生徒主体と言っても結局は「教える」内容が決められていて、いかにして生徒が自ら問題を発見したかのようにして解決に向かわせるかを工夫していたように思う。「主体的、対話的で深い学び」が今回の学習指導要領の大きな柱にな

っているが、いかにして「主体的」に課題に向き合うようにする
のかが一番の課題であることに変わりはない。

　天城中学校でのESDの実践を通して感じたことは、ESDを「持
続可能な社会の創り手を育てる教育」と捉えたとき、生徒は３年
間を通じて**「持続可能な地域（天城）にしよう」**という**大きなプ
ロジェクト**に取り組んできたと言える。このプロジェクトのため
に自然体験で天城の自然の魅力を学び、福祉体験で高齢化社会を
学び、職場体験で天城の仕事の現状を学んだ。このような学びか
ら天城の自然や文化の素晴らしさ知ると同時に、天城の様々な課
題が見えてきて、その中から「持続可能な天城」のために自分が
取り組みたい課題を選んでその解決策を提言した。そこには、先
に紹介した卒業生の作文にあるように、先生から与えられた課題
を考えるという「やらされ感」はなく、正に**主体的に課題を選択**
し、同じ課題を選択した仲間や先生と**対話をくり返し**ながら「持
続可能な天城」に向けた**深い学び**の結果導いた提言を発表してい
る。これこそが、本当の「アクティブラーニング」であり、私た
ちが目指していた「問題解決学習」だと感じた。

　中でも、「ツゲ峠鹿柵プロジェクト」は自然体験学習から当時
の３年生の総意により生まれたPBLと言えるかもしれない。次の
図のように、３年間で3回の「探究」のサイクルが回り行動（アク
ション）につながった。**(図7-7)**

図7-7

第8章　ESD実践のための手引き

　最後に、今までの天城中学校でのESDの実践から見えてきた**主体的な学び**を導くための要点をまとめておきたい。

　天城学習で大切にしたことは、ただ既存の知識を伝えるのではなく、体験を通して生徒自身が感じるものを大切にした。「沈黙の春」で有名なレイチェル・カーソンの「知ることは、感じることの半分も重要ではない」*28という言葉の通り、本物を通して感じたり、心を動かされたりした体験が次の学びへの重要なステップになる。また、生徒が課題を自分事として捉えるためには生徒にとって身近なもの（例えば、住んでいる地域の課題や自分たちが社会人として生きる未来のこと）をテーマにすることだ。ESDの「持続可能な社会」というテーマは、「社会→住んでいる地域」と置き換えて考えれば、中学生にとって自分事にしやすいうってつけのテーマとなる。住んでいる地域を探検し、地域の様々な魅力や素晴らしさを発見し地域の人と**つながる**ことが地域に対する誇りや愛着を生んだ。（ここでは地域外の第三者による評価やフィードバックも重要な役割を果たした。）

　生徒は、地域のよさを発見すると同時に、だんだんに課題（地域が持続不可能になっている課題）に気づき、放っておけなくなる。よく言われる「探検→発見→放っとけん」の状態になれば動機付けは十分で、あとは先生が様子を見ながら伴走し支援すれば

よい。このような学びでは教師の予想（予定）通りに事が進むような予定調和的なことはあまりない。一人ひとりの生徒によって感じ方や考え方が違うように、選ぶ課題やテーマも様々である。先生にも「正解が分からない」課題がたくさん出てくる。従って、前述の通り教師の役割も今までとは全く違ってくる。今までは、先生が答えを知っていて生徒はそれを見つけるという関係が主だったが、これからの先生の役割は、解決策を求めてさまよう生徒に考えるヒントや手がかりを与えたり、専門家につないだりする役割が重要になる。つまり、ファシリテーターやコーディネータの役割が必要になる。

　先生にも「答え」の分からない課題に対し生徒と一緒になって考え、たとえ失敗してもそれを糧として生徒と一緒に学ぶ姿勢が求められる。この時、生徒や先生以外の学び合う仲間として、学校外の様々な年齢層の人が加わる事は非常に意味のあることだと思う。会社をリタイヤした専門知識を持った人や地域のお年寄りの知恵、近くの高校生など様々な人と協働する経験が将来生きてくることは間違いない。これからの学校はそういう意味で「地域に開かれた」学校でなくてはならないし、そのような教育へと変容していくことが求められている。（図8-1）

　最後に、重要な事を付け加えるとすれば、失敗も許される受容的な環境と子どもの可能性を信じて任せることのできる教師だ。

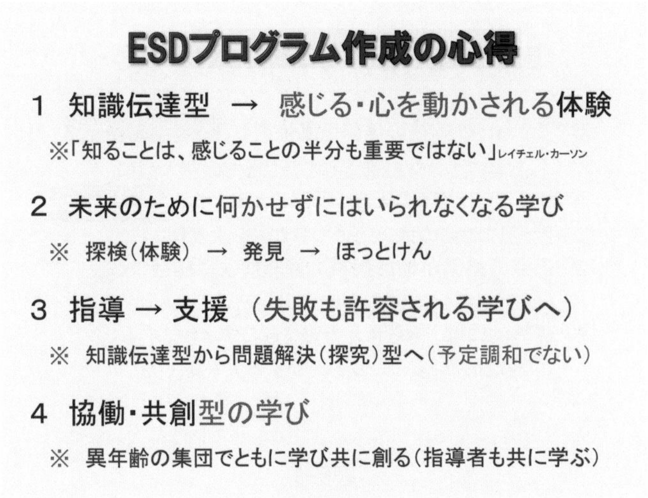

図8-1

　以前、ESDの授業を行う時の留意点を発表したときにまとめた
内容を参考までに示しておく。（**図8-2,8-3**）

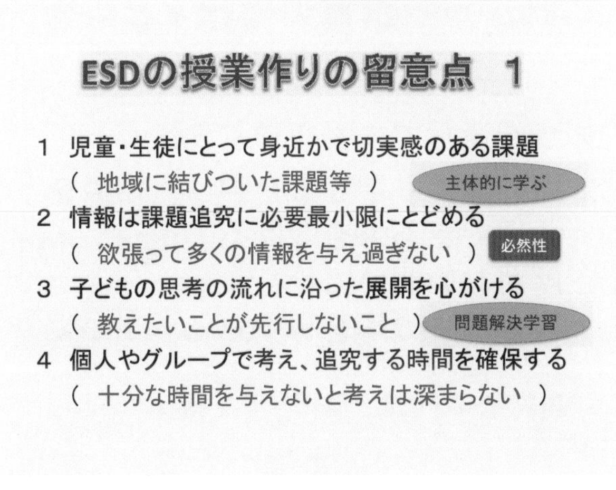

図8-2

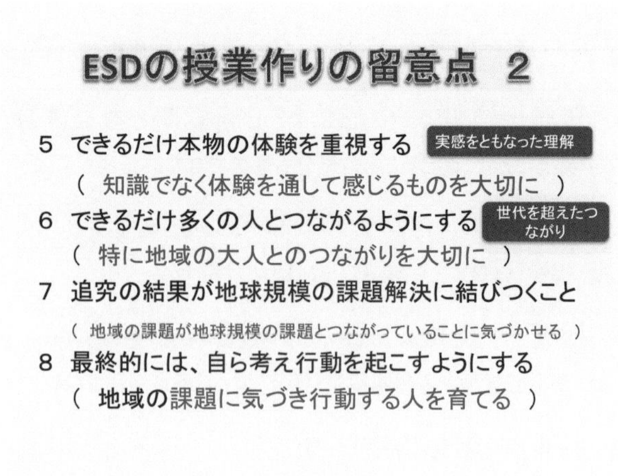

ESDの授業作りの留意点　2

5　できるだけ本物の体験を重視する 実感をともなった理解
（　知識でなく体験を通して感じるものを大切に　）
6　できるだけ多くの人とつながるようにする 世代を超えたつながり
（　特に地域の大人とのつながりを大切に　）
7　追究の結果が地球規模の課題解決に結びつくこと
（　地域の課題が地球規模の課題とつながっていることに気づかせる　）
8　最終的には、自ら考え行動を起こすようにする
（　地域の課題に気づき行動する人を育てる　）

図8-3

　ESDを実践して感じた「これからの教育の目指すところ」をまとめると次のようになる（図8-4）

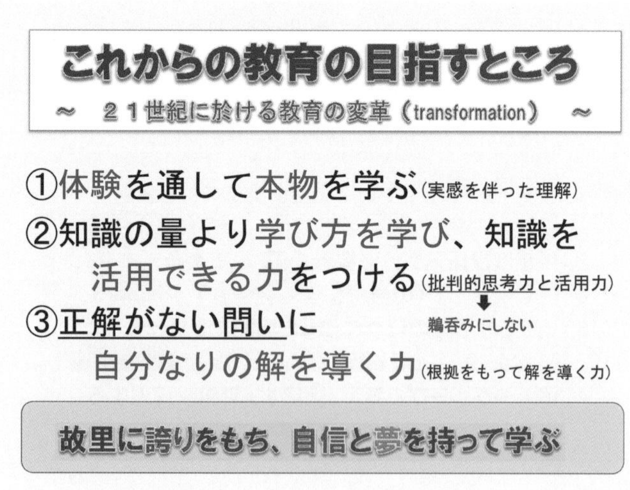

これからの教育の目指すところ
～　２１世紀に於ける教育の変革（transformation）　～

①体験を通して本物を学ぶ（実感を伴った理解）
②知識の量より学び方を学び、知識を
　活用できる力をつける（批判的思考力と活用力）
③正解がない問いに 鵜呑みにしない
　自分なりの解を導く力（根拠をもって解を導く力）

故里に誇りをもち、自信と夢を持って学ぶ

図8-4

第9章 ESD の実践その後（エピローグ）

　天城中学校で３年間通してESDに染まった生徒が卒業すると同時に私は定年退職を迎えた。天城中学校でESDを「持続可能な社会の担い手を育てる教育」と理解したとき、ESDは学校現場だけで終わりにしてはいけないと感じていた。中学校でESDを通して学び考えた事はそこで終わりにしては意味がない。「持続可能な社会の担い手」を育てる教育として始めた以上、卒業した生徒たちが高校、大学と進み社会人になった時、中学校時代に蒔かれたESDの種がどのように花開き、どのような実をつけるのかを見届け、支援したいと思った。そこで、退職後、教育委員会に勤めたり心の教室相談員などを勤めたりしながらESD-Jの理事としてESDに関わり続けた。各地でのESDの講演や環境省のESDプログラムのサポート委員、アドバイザーなどのかたわら、ESD日本ユース・コンファレンスにメンターとして参加し、全国のESDを学んだ若者をサポートしている。もちろん、天城中学校の卒業生は一番気になるところで、連絡の取れる何人かの卒業生とは折に触れてメールのやり取りをしている。第5章で触れた森島さんから、卒業式の折に頂いた手紙を本人の了解を得て紹介したい。

校長先生へ

　今まで本当にお世話になりました。

先生は、「夢を持ちたくましく生きる生徒」という教育目標のもと
ESDを始め、私達に自信をつけさせるために、夢をもたせるためにた
くさんの活動や話を私達にしてくれました。初めはよくわからなかっ
た自分の将来も「天城学習」の職場体験を通じて見つける事ができま
した。「天城学習」を通じて見つけた事はまだまだあります。この天
城の自然の豊かさ、地域の方々の温かさなどです。そして、私はこの
天城が大好きになりました。良いところなんだなぁと思えてきまし
た。

　そして、昨年の東日本大震災。私は、何か助けになりたい。自分で
も何かできないだろうかと考えていました。そんな時に天城中でラン
ドセルや文房具の寄付を行う事になりました。震災で助けを必要とし
ているユネスコスクール加盟校へ送るという事でした。私は、この取
り組みを知った周りの中学校からも天城中に物資が送られてきたと聞
いた時、人と人とのつながりというものを強く感じました。一人では
少しの力だけど、その一人の力がなければ何の力も働かない。天城中
学校は、すばらしい取り組みをしたなぁと思いました。

　私は今まで、自分に自信が持てませんでした。自分一人では何もで
きないと思っていました。しかし、ESDの取り組みを通して確実に自
分は大きく成長できました。私がなぜ成長できたのかと思うと、それ
はやはり夢を持つ事ができたからだと思います。夢を持つ事ができた
から何事もがんばれたし、いつも前向きでいられたのだと思います。

そして、自分の自信にもつながった気がします。昨年の英語弁論大会での私のスピーチのタイトルは「夢に向かって」でした。私は、これからも夢に向かって一歩ずつ前に進んで行きたいと思っています。そして、将来は助けを必要としている人達のために尽くせるような立派な看護師になりたいです。

　弁論大会では、地区大会から関東大会まで見に来ていただきありがとうございました。そして、そんなステキな舞台に立てたのもこの天城中学校で夢を見つけられたからだと思います。

　今まで本当にありがとうございました。

3A　森島由衣

　現在、由衣さんは中学校で見つけた夢を実現し、成田にある総合病院で看護師として献身的に働いている。コロナ禍の中、ウィルスに感染する危険と隣り合わせの状況で働いていることを思うと、無事に健康でいて欲しいと祈らずにはいられない。

　また、私が退職後5年経った(2017年)ある日、突然卒業生の男子から携帯のメッセンジャーに長文のメールが入った。現在、日大の芸術学部演劇科に在籍しているとの近況報告に続いて以下の様な丁寧な文章が書いてあった。本人の了承を得て掲載する。

（以下、全文の抜粋）

（前略）この度ご連絡申し上げたのは、昨日朝日新聞夕刊一面でSDGsに関する記事を読んだからです。大塚様が私が中学校在籍当時からSDGsの理念に則ったことを私どもに熱心にご指導くださったことを鮮明に覚えています。

　ただ、僕が当時学校に行かなかったことゆえに当時は全くというほど無関心でしたが、改めて今になり何か僕の立場でできることはないかと思うきっかけになったのが上述の記事です。

　私も時間の許す限り調べられることは調べようと思っていますが、只今、就活が生活を占めています。私も日程が合わせづらい状況ではありますが尽力いたします。とにかくお会いしてお話しがしたいです。大塚様もお忙しいとは思いますが、どうにかお会いすることはできないでしょうか？

　　（後略）　　　　　　　　　　　　　　　土屋　　佑

とにかく、突然のメールとその内容に驚くと同時に、中学校での学びがこんな形で生きてくるのだと知って嬉しかった。メールにあるように、彼は中学校時代にあまり登校せず、スクールカウンセラーのお世話になっているような生徒だった。ただ、不登校気味でも学校行事や総合的な学習の時間など、自分が興味を持ったものには臆することなく参加する生徒だった。職場体験も森林管理署の仕事に生き生きと参加していた。土屋君とは東京で会う

約束をし、一緒に夕食を食べながら様々な話を聞くことができた。彼が中学生だった当時は、まだSDGsはできていなかったが、それとESDを結びつけて捉えた彼の成長ぶりが何よりも嬉しかった。その時彼は、将来、脚本家になりたいと思っていると夢を語ってくれた。現在は、TV会社に勤め忙しい毎日を送っている。

　2016年に毎年新宿御苑で行われているグリーンチャレンジデー（生物多様性を意識する為の様々なチャレンジを応援する日。都心にありながら広大で豊かな自然を持つ新宿御苑を会場に、多数の官公庁・企業・団体・市民が一丸となって開催されるイベント。企業・自治体・団体の環境保全の取組みを応援し、市民一人ひとりが環境について考え、アクションをすることを応援するイベント。）で天城中学校の実践を展示発表しないかという誘いがESD-Jからあった。2011年の「ツゲ峠鹿柵プロジェクト」に参加した当時の3年生で連絡の取れる生徒に呼びかけたところ、3人の卒業生が喜んで引き受けてくれた。当時、3人とも大学に進学し、それぞれ違う地域で生活を送っていたにもかかわらず、9月に東京に集まって展示発表のための資料を準備してくれた。10月1日と2日に行われたイベントにも3人で分担して参加し、展示の準備から来場者に自分たちの取り組みを説明するところまでを行った。
　3人の卒業生たちはグリーンチャレンジデーで天城中のESDの取り組みを発信し、自分たちの行動の価値をもう一度確認する機

会を得た事で、再度ツゲ峠へ登って柵内の変化や天城の自然の変化を確かめに行きたいと語っていた。（図 9-1,9-2）

図9-1　展示の準備をする卒業生

来場者に取り組みを説明

図9-2　来場者に取り組みを説明

ESDハグ君と記念撮影

　グリーンチャレンジデーに参加した卒業生は、その年の「天城学習発表会」に呼ばれ、天城中学校の生徒の前で自分たちが３年生の時に取り組んだ「ツゲ峠鹿柵プロジェクト」についてグリーンチャレンジデーで作った展示物を使って発表した。現在、この３人はそれぞれ大学を卒業し、社会人２年生として地元で先生になったり、看護師として病院に勤めたり、留学したりしてそれぞれの夢を実現している。

7章で紹介したように、私が退職した後の卒業生の中にも地域活性化に取り組みたいと地域創造系の大学を選んだり、地元に残って市役所に入り地域活性化に貢献したいと頑張ったりしている。現在、伊豆市役所に勤める飯塚君もその一人だ。

～すべては天城学習から始まった～　　　　　　飯塚拓也

　天城学習が与えた影響は大きく分けて3つである。

①地域愛を育めた

　私は地元が大好きで、地元での暮らしが楽しく、地元で何かをしていこうといった気持ちが非常に強い。この気持ちが芽生えた発端は天城学習であり、少年時代を地元で暮らしていた際に、地元を知り・考えるきっかけを与えてくれたのが正しく天城学習である。天城学習を学んだ全ての方に、地元への愛着と地元への定住を強要するものではないと思うが、自分自身のふるさとについて学ぶことは、どの地域にとっても大切なことだと思う。

②自分自身の個性を持つためのきっかけになった

　天城学習は、単純に地元の良さに気づくだけのものではない。地元の良さだけでなく課題を知り、課題に対して自分自身にできること（解決策）を考えるまでが天城学習である。つまり、物事に対して自分事に置き換えて、自分自身の目線で考えることを大切にしている。人生において、人それぞれの個性を持つことが大事ななかで、天城学

習で育んだ自らがどのように考えるかという視点は、自分自身の個性を持つためのきっかけとなっている。

③アウトプットの練習台となった

　自分自身の個性や自分自身がどのように考えるかといったことが明確になったなかで、そこから自己成長につなげるためにはアウトプットが大切である。アウトプットの基本である「話す」・「書く」・「行動する」は、天城学習を学ぶうえでも基本的な視点であり、学習のなかでも、地元を知るために職場体験や天城山のトレッキングを行ったり、地元をよりよくするための提案を同級生と意見交換を行いながらプレゼンにまとめ、全校で発表を行ったりするなど一貫してアウトプットを意識して取り組んだ。このアウトプットの経験は、自分自身の個性のもと自己成長するための練習台になったと思っている。

４．おわりに

　自分自身が前述した夢や理想を描くことができたのは、天城学習を通して自分自身の個性である地元愛に気づけたこと、そして天城学習で学んだ自分自身の目線から物事を考え、自分自身の個性を伸ばすためにアウトプットを積み重ねることができたからだと感じている。現在、自分自身の夢や理想に向けて、やりたいことをどのように進めていくかという次のステップに差し掛かっている。できることからアウトプットを繰り返していくことは大切だが、自分だけでは成しえない部分もあるため、他者との間で共感を生み、協働するなど現在に至る

　彼は伊豆総合高校で地域学を学び、高校卒業後すぐに伊豆市役所に就職した。現在、社会人5年目で総合政策部総合戦略課でシティプロモーションや高校生の地域学習支援等を行っている。このような卒業生の姿を見ると応援せずにはいられない。

　天城中学校で、ESDが何であるかもよく分からないままユネスコスクールに加盟しESDに取り組み始めて10年が経過した。嬉しいことに、後に続く校長先生や先生方の努力で、いまだにESDの実践は継続している。（継続している理由の一つは、代々の先生方が前年踏襲で実践をコピーしているのではなく、継続しながらも内容を工夫し改善しているからだと思う。）そして、毎年、自分たちの故郷に誇りと愛着を持った生徒が育っている。

　これからも、天城中の卒業生はもちろん、全国のESD世代を陰ながら支え、エンパワーしながら「持続可能な社会の創り手」として育っていくのを見守っていきたい。

あとがき

　現在、伊豆半島ジオパーク推進協議会の教育部会でジオパーク教育にも取り組んでいる。伊豆半島がユネスコにより「世界ジオパーク」に認定され、そこで行われるジオパーク教育は ESD と同じ理念で行われている。

　それぞれの地域での人間の営みは、実はその土地の成り立ち、つまりジオ（大地）と深いつながりがある。地殻変動や風化・浸食によりできた土地に植物や動物が住むようになり、ヒトも住み着いて生活するようになる。そこに社会が形成され様々な歴史や文化が生まれる。その大地と自然やヒトの営みとの**つながり**を学ぶと、子どもたちはその地域がかけがえのないものだと理解し誇りや愛着を持つようになる。更に、その地域が「持続可能でない」課題を抱えていることを知ると何とかしたいと考え、行動を起こす。まさに ESD と同じである。

　全国の学校で自分たちの住む地域の自然や歴史・文化・伝統といったものを学んでいると思う。しかし、それがどのようなねらいを持って行われるかが肝心で、ねらいを忘れて、内容をこなすだけ（知識を覚えるだけ）の形骸化したものになっていないだろうか。知識を伝えることばかりに追われて「何のために」という目的を見失ってはいないだろうか。

このESDの実践から「正解ばかりを求められる」教育で自信を失った子どもたちが、「答えのない問い」を探究することによって自信と主体性を取り戻し、元気で活力あふれた姿へと変容することが確認された。ESDは「答えのない問い」に自分なりの根拠を持った答えを導くことのできる「力」＝「本物の学力」を育てる学びに他ならない。

　今までの学習活動にESDという柱を通すだけで子どもたちは生き生きとしてくる。「持続可能な社会」という「答えのない問い」は小学校低学年には難しいかもしれない。しかし「知ることは感じることの半分も重要ではない」の言葉通り、低学年は様々な本物の体験を通してありのままの姿を体感させる時期だと思う。そして、学年が上がるに従って視野も広がり、考える内容も高度になっていく。やがて先生や仲間の助けを借りながらでもESDの求める「答えのない問い」に対して根拠を示して自分なりの答えを導けるようになっていく。このような目的を持った学び(PBL)がやがて新しい未来を創る大人（持続可能な社会の創り手）を育てて行くことになるだろう。

　ESDがめざす「持続可能な開発」の原点にある「持続可能な社会をいかにつくるか」という根本的な問いは「何が本当の正解なのか誰にも分からない」問いである。SDGsで示されたように、「環境」「社会」「経済」の様々な問題が複雑に絡み合って今日

の課題があり、世界は「持続不可能な社会」に向かって確実に歩みを続けている。この「問い」に様々な立場の人が、互いを尊重し、知恵を出し合い、協働してよりよい「答え」を導くためには、現状を把握し、あらゆる立場の人と協働し行動できる人材を育てる「教育」が最も大切だということからESDは生まれた。

　2018年北九州市で行われた日中韓環境教育ネットワークのシンポジウムに参加した時、国谷裕子氏の基調講演会で印象に残った言葉がある。

「私は、NHKのクローズアップ現代の中で、様々な現代的課題を取り上げ、その解決策を模索してきました。ところが、一つの課題の解決策を見つけると、その解決策がまた新たな課題を生みだすことに気づいたのです。」

　こう話して、「だから今、私はSDGsに取り組んでいます。」と結んだ。2015年「だれ一人取り残さない」を合い言葉に、17の目標と169のターゲットからなるSDGsが国連の場で合意された。17のアイコンで示され、それぞれ独立しているように思われがちだが、それぞれの目標は全てつながっている。国谷氏が言うように一つの目標やターゲットの解決策が、他の目標達成の妨げになってしまっては意味がない。そういう意味でSDGsは全てが

複雑に関連した「答えの（わから）ない問い」なのだ。そのようなことを理解し、全体を見渡しながら解決策を見つけることのできる人材を世界は求めている。だからこそ、ESD は SDGs のエンジンであると言われている。

日本では、新学習指導要領*29 に今までなかった前文という項目が設けられた。その中で「自分のよさや可能性を認識するとともに、あらゆる他者を価値のある存在として尊重し、多様な人々と協働しながら様々な社会的変化を乗り越え、豊かな人生を切り拓き、持続可能な社会の創り手となることができるようにすることが求められる。」という形で ESD に言及している。（残念なことにこれが ESD だという言い方はしていないが・・・）

現行の学習指導要領にも「持続可能な社会」という文言で ESD に関する記述は見られるが、残念ながら全国的に見てもまだまだ ESD が浸透しているとは言えない。まして、ESD の真の価値を理解し取り組んでいる学校は少ない。

少しでも多くの学校が ESD の意味や価値を理解し、21 世紀を生きる子どもたちが**「持続可能な社会の創り手」**となるように育って欲しいと願ってやまない。

最後に、本書の作成のために文章を寄せたり、写真の掲載を喜んで許可してくれたりした天城中学校の卒業生の方々に、心よりお礼申し上げます。

～　　注及び参考文献　　～

＊1　Education for Sustainable Development の略で持続可能な開発のための教育と訳されている

＊2　内閣府 2014「今を生きる若者の意識～国際比較からみえてくるもの～

　　　　　　　　　　https://www8.cao.go.jp/youth/whitepaper/h26gaiyou/tokushu.html

＊3　Lawrence, D.(2006).Enhancing self-esteem in the classroom (3rd Ed.)London

＊4　文科省 2007 改正 学校教育法 による学力の三要素の規定

＊5　文科省 2008(平成 20 年 3 月)告示 学習指導要領

＊6　文科省 2008(平成 20 年 7 月 1 日) 第一期 教育振興基本計画

＊7 Rachel Carson 1962 「沈黙の春」 ISBN 978-4102074015

＊8　ローマクラブ(ドネラ H.メドウズ) 1972「成長の限界」 ISBN 978-4478200018

＊9　国連 1987 「環境と開発に関する世界委員会(ブルントラント委員会)報告書」

　　　https://sustainabledevelopment.un.org/content/documents/5987our-common-future.pdf

＊10　国連 1992 Agenda 21「環境と開発に関する国際連合会議」で採択された行動計画

　　　　　　　　　https://sustainabledevelopment.un.org/outcomedocuments/agenda21

＊11 Severn Suzuki、1979 年生まれ 1992 年地球環境サミットに 12 歳で参加 伝説のスピーチを行った

＊12 https://www.youtube.com/watch?v=oJJGuIZVfLM

＊13 国連 2015 持続可能な開発目標 Sustainable Development Goals(2015 採択)のこと

　　　　　　　　　　　https://www.mofa.go.jp/mofaj/files/000101402.pdf

＊14 ESD-J 2003～特定非営利活動法人 持続可能な開発のための教育の 10 年推進会議(当時)

　　　　　　　　　　　　　http://www.esd-j.org/

＊15 認定 NPO 法人 開発教育協会 DEAR 1982〜 http://www.dear.or.jp/

＊16 WorldShift Forum アーヴィン・ラズロやゴルバチョフ元大統領など世界賢人会議が、持続可能

な社会への転換（WorldShift）の緊急提言を行ったことからはじまった https://www.worldshift.jp/

＊17 文科省 2008〜ASPUnivnet ユネスコスクール支援大学間ネットワーク

http://www.unesco-school.mext.go.jp/ASPUnivNet/

＊18 ACCU 公益財団法人ユネスコ・アジア文化センター https://www.accu.or.jp/

＊19 Joe O'Donnell1922-2007 フォトジャーナリスト「トランクの中の日本」の中に収められている写真

＊20 天城自然ガイドクラブ ANGC 2008 設立 http://www.izu-angc.org/

＊21 COP6 2001 気候変動枠組条約第6回締約国会議（COP6）再開会合

https://eneken.ieej.or.jp/data/pdf/545.pdf

＊22 ECOM NPO エコ・コミュニケーションセンター https://npo-ecom.jimdofree.com/

＊23 伊豆森林管理署:林野庁関東森林管理局 https://www.rinya.maff.go.jp/kanto/izu/index.html

＊24 NPO 法人天城こどもネットワーク http://www3.tokai.or.jp/amagi-kodomonet/

＊25 伊豆自然塾 http://www.shuzenji.jp/daruma/ https://www.facebook.com/izucamp

＊26 ユネスコスクールと持続発展教育（ESD）

http://www.unesco-school.mext.go.jp/?action=common_download_main&upload_id=5831

＊27 ハゲワシと少女 Kevin Carter 報道写真家この写真でピューリッツァー賞を受賞

https://natgeo.nikkeibp.co.jp/nng/article/20120125/297289/?P=2

＊28 Rachel Carson 1996 The Sense of Wonder の中に書かれている有名な言葉

すべての子どもが生まれながらにして持っている自然に対する感性のこと

＊29 文科省 2017(平成 29 年 3 月)告示 学習指導要領

著者紹介

大塚　明 （おおつか　あきら）

1952年生まれ。東京都豊島区大塚出身。
大学卒業後企業に勤めるが、一念発起し、1978年より静岡県の教員となる。
2007年～2012年伊豆市立天城中学校校長となり、自校の教育課題の解決策を模索する中ESDに出会い準備期間を経て2009年より学校全体でESDに取り組み始める。今まで行っていた体験活動をESDの視点で見直し、全ての教育活動に「持続可能な社会の担い手を育てる」という背骨を通して取り組んだ。
2010年静岡県で初めてのユネスコスクールに加盟。同年第1回ESD大賞中学校賞を受賞。退職後、伊豆市教育委員会指導主事、心の教室相談員、環境省「ESD環境教育モデルプログラムガイドブック」作成のサポート委員やアドバイザー、静岡大学ESDコンソーシアム・コーディネーター、日中韓環境教育ネットワーク共同プロジェクト委員、NPO法人持続可能な開発のための教育推進会議（ESD-J）理事等を務めながら各地で自校の取組を講演したり研修会に参加したりした。現在、静岡県田方地区教員研修協議会指導講師、伊豆半島ジオパーク推進協議会教育部会議長等を務めている。

持続可能な社会の創り手を育てる教育
「自尊感情」をテーマとした中学校のESD実践記録

著　者	大塚　明
発行所	有限会社　長倉書店
	〒410-2407　静岡県伊豆市柏久保552-4
	TEL　0558-72-0713

印　刷	いさぶや印刷工業株式会社
統計解析	横嶋　敬行　鳴門教育大学
カバーデザイン	仲　美智子　イラストレーター

©2021 Akira Otsuka／Printed in Japan
ISBN978-4-88850-079-1